Educación Artística

Segundo grado

Educación Artística. Segundo grado fue desarrollado por la Dirección General de Materiales Educativos (DGME), de la Subsecretaría de Educación Básica, Secretaría de Educación Pública.

Secretaría de Educación Pública
Alonso Lujambio Irazábal

Subsecretaría de Educación Básica
José Fernando González Sánchez

Dirección General de Materiales Educativos
María Edith Bernáldez Reyes

Coordinación técnico-pedagógica
Dirección de Desarrollo e Innovación de Materiales Educativos, DGME/SEP
María Cristina Martínez Mercado, Ana Lilia Romero Vázquez, Alexis González Dulzaides

Autores
María Teresa Carlos Yáñez, Oswaldo Martín del Campo Núñez, Rita Holmbaeck Rasmussen, Lorena Cecilia Fuensanta Ávila Dueñas, Laura Gamboa Suárez, Marxitania Ortega Flores

Revisión técnico-pedagógica
Gabriela Rodríguez Blanco, Jessica Mariana Ortega Rodríguez, Rosa María Núñez Hernández, Daniela Aseret Ortiz Martinez

Asesores
Lourdes Amaro Moreno, Leticia María de los Ángeles González Arredondo, Óscar Palacios Ceballos

Coordinación editorial
Dirección Editorial, DGME/SEP
Alejandro Portilla de Buen, Pablo Martínez, Esther Pérez Guzmán

Cuidado editorial
Esteban Manteca Aguirre

Producción editorial
Martín Aguilar Gallegos

Formación
Abraham Menes Núñez

Iconografía
Diana Mayén Pérez, Fabiola Buenrostro Nava

Portada
Diseño de colección: Carlos Palleiro
Ilustración de portada: Cecilia Rébora

Primera edición, 2010
Segunda edición, 2011 (ciclo escolar 2011-2012)

ISBN: 978-607-469-665-3

Impreso en México

Servicios editoriales (2010)
CIDCLI, S.C.

Coordinación y asesoría editorial
Patricia van Rhijn, Elisa Castellanos, Rocío Miranda

Ilustración
Alma Rosa Pacheco (pp. 16, 46, 60); Belén García (pp. 24, 86, 87); Felipe Ugalde (pp. 8, 9, 21, 28, 29, 40, 41, 54, 55, 70, 71); Gloria Calderas (p. 81); Herenia González (pp. 36, 37, 49, 67, 68); Marissa Arroyo (pp. 18, 72); Nayeli Barrera (p. 35); Patricia Márquez e Isaías Valtierra (pp. 10, 12, 13, 14, 19, 23, 25, 26, 29, 32, 44, 45, 47, 51, 56, 61, 63, 66, 75, 79); Patricio Betteo (pp. 17, 65, 74); Rocío Padilla (p. 30); Rodrigo Folgueira (p. 83); Gonzalo Gómez (pp. 22, 42, sólo el árbol); Sabina Iglesias (p. 64).

Diseño y diagramación
Rogelio Rangel

Iconografía
Ana Mireya Martínez Olave

Fotografía
Rafael Miranda; asistente: Anaí Tirado

Agradecimientos
La Secretaría de Educación Pública agradece a los más de 40 284 maestros y maestras, a las autoridades educativas de todo el país, al Sindicato Nacional de Trabajadores de la Educación, a expertos académicos, a los Coordinadores Estatales de Asesoría y Seguimiento para la Articulación de la Educación Básica, a los Coordinadores Estatales de Asesoría y Segui-miento para la Reforma de la Educación Primaria, así como a monitores, asesores y docentes de escuelas normales, por colaborar en la revisión de las diferentes versiones de los libros de texto llevada a cabo a lo largo de las Jornadas Nacionales y Estatales de Exploración de Materiales Educativos y las Reuniones Regionales realizadas en 2009. Así como a la Dirección General de Desarrollo Curricular, Dirección General de Educación Indígena y Dirección General de Desarrollo de la Gestión e Innovación Educativa.

La SEP extiende un especial agradecimiento a la Organización de Estados Iberoamericanos para la Educación, la Ciencia y la Cultura (OEI), por su participación en el desarrollo de esta edición.

También se agradece el apoyo de las siguientes instituciones: Universidad Autónoma Metropolitana, Centro de Educación y Capacitación para el Desarrollo Sustentable de la Secretaría del Medio Ambiente y Recursos Naturales y Ministerio de Educación de la República de Cuba. Asimismo, la Secretaría de Educación Pública extiende su agradecimiento a todas aquellas personas e instituciones que de manera directa e indirecta contribuyeron a la realización del presente libro de texto.

Presentación

La Secretaría de Educación Pública, en el marco de la Reforma Integral de la Educación Básica, plantea una propuesta integrada de libros de texto desde un nuevo enfoque que hace énfasis en la participación de los alumnos para el desarrollo de las competencias básicas para la vida y el trabajo. Este enfoque incorpora como apoyo Tecnologías de la Información y Comunicación (TIC), materiales y equipamientos audiovisuales e informáticos que, junto con las bibliotecas de aula y escolares, enriquecen el conocimiento en las escuelas mexicanas.

Después de varias etapas, en este ciclo se consolida la Reforma en los seis grados y, en consecuencia, se presenta esta propuesta completa de los nuevos libros de texto, que abarca la totalidad de las asignaturas en todos los grados.

Este libro de texto incluye estrategias innovadoras para el trabajo escolar, demandando competencias docentes orientadas al aprovechamiento de distintas fuentes de información, el uso intensivo de la tecnología, la comprensión de las herramientas y de los lenguajes que niños y jóvenes utilizan en la sociedad del conocimiento. Al mismo tiempo, se busca que los estudiantes adquieran habilidades para aprender de manera autónoma, y que los padres de familia valoren y acompañen el cambio hacia la escuela mexicana del futuro.

Su elaboración es el resultado de una serie de acciones de colaboración, como la Alianza por la Calidad de la Educación, así como con múltiples actores entre los que destacan asociaciones de padres de familia, investigadores del campo de la educación, organismos evaluadores, maestros y expertos en diversas disciplinas. Todos han nutrido el contenido del libro desde distintas plataformas y a través de su experiencia. A ellos, la Secretaría de Educación Pública les extiende un sentido agradecimiento por el compromiso demostrado con cada niño residente en el territorio nacional y con aquellos que se encuentran fuera de él.

Secretaría de Educación Pública

Índice

Bloque III 41

Bloque IV 55

Bloque V 71

Conoce tu libro

Este libro te dará algunas herramientas para ver, oír, sentir y experimentar, con libertad y creatividad, diferentes manifestaciones artísticas.

Tu libro está formado por cinco bloques; en cada uno hallarás lecciones que contienen:

Materiales
Los usarás en las actividades que se proponen; si no los encuentras puedes sustituirlos por otros.

Baúl del arte
Lo llenarán entre todos con muchos objetos que podrán usar en el desarrollo de sus lecciones.

Aprendizaje esperado
Aquí te decimos qué aprenderás durante el desarrollo de cada una de las lecciones.

Lo que conozco
Antes de comenzar es conveniente que trates de aportar ideas sobre el tema; recuerda que son valiosas.

Lección 7 Veo con mis manos

A tu alrededor existen diferentes texturas que puedes identificar con el tacto y con la vista. En esta lección aprenderás a reconocerlas.

Lo que conozco
¿Has tocado una rana?, ¿has metido la mano en una bolsa de frijoles?, ¿has sentido el pasto bajo tus pies? ¿Cómo percibes todas estas cosas?

30

Materiales:
Algodón, una lija, una piedra pequeña lisa y otra rugosa, una rama seca, una moneda y objetos con diferentes texturas que puedes buscar en el "Baúl del arte".

Para conocer lo que nos rodea usamos nuestros sentidos. Por medio de ellos apreciamos las cualidades de los objetos, de las personas, de las plantas y de los animales.

Una de estas cualidades es la **textura** y podemos percibirla por medio del sentido del tacto pero también con el de la vista.

La textura es una cualidad visual y táctil de los objetos y puedes observarla en piezas artísticas como pinturas, esculturas, obras arquitectónicas, etcétera.

De los materiales que trajiste, selecciona uno y utiliza el tacto para conocer su textura. ¿Te agrada o desagrada tocarlo? ¿Qué sensación te produce? Describe tu objeto:

Realizarán la siguiente actividad por parejas.

- Uno irá hacia un lado del salón y cerrará los ojos por dos minutos.
- Mientras tanto, el otro buscará un objeto, colocará una hoja de

Los sonidos pueden ser suaves, tanto que casi no logres escucharlos; o tan fuertes que tengas que cubrirte los oídos. A esta cualidad del sonido se le conoce como **intensidad**.

¿Reconoces la diferencia entre un sonido largo y uno corto? Un sonido corto lo puedes producir con un chasquido de tus dedos. En cambio, si frotas lentamente un objeto contra otro puedes producir un sonido largo. ¡Intenta ambas sugerencias! Ahora estás jugando con la cualidad del sonido conocida como **duración**.

Toma el objeto que trajiste para producir un sonido, o bien, un objeto del "Baúl del arte".

- Trata de hacer sonidos suaves para luego aumentar poco a poco su intensidad hasta que sean muy fuertes.
- Después, toca sonidos cortos con el objeto que estás utilizando. Prueba si con él también puedes producir sonidos largos. ¡Realiza experimentos con la duración!

Poco a poco identificarás las **cualidades del sonido**. ¿Con qué materiales inventarías un instrumento musical que produjera sonidos muy largos? ¿Qué nombre le darías?

19

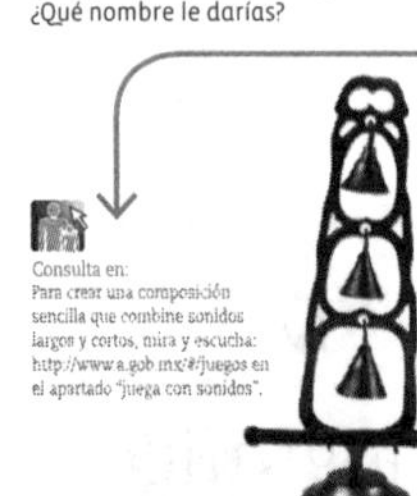

Consulta en:
Para crear una composición sencilla que combine sonidos largos y cortos, mira y escucha: http://www.e.gob.mx/#/juegos en el apartado "juega con sonidos".

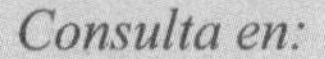

Consulta en:
Son sugerencias de páginas de internet. Cuando tengas la oportunidad, asómate a ellas en compañía de un adulto. ¡Él también aprenderá y se divertirá! Recuerda consultar la Biblioteca Escolar. Pídele a tu maestro que te preste libros interesantes.

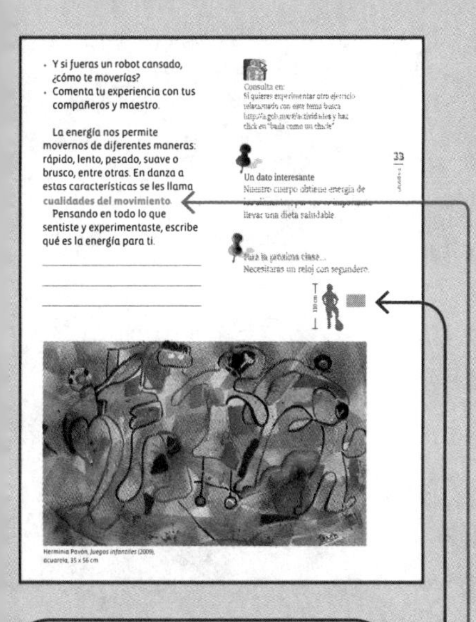

- Y si fueras un robot cansado, ¿cómo te moverías?
- Comenta tu experiencia con tus compañeros y maestro.

La energía nos permite movernos de diferentes maneras: rápido, lento, pesado, suave o brusco, entre otras. En danza a estas características se les llama **cualidades del movimiento**.

Pensando en todo lo que sentiste y experimentaste, escribe qué es la energía para ti.

Consulta en:
Si quieres experimentar otro ejercicio relacionado con este tema busca http://ag.gob.mx/actividades y haz click en "baila como un chavo"

Un dato interesante
Nuestro cuerpo obtiene energía de los alimentos, por eso es importante llevar una dieta saludable.

Para la próxima clase...
Necesitarás un reloj con segundero.

Herminia Pavón, *Juegos infantiles* (2009), acuarela, 35 x 56 cm.

Un dato interesante
Aquí conocerás algo nuevo e interesante; aprovéchalo para preguntar e investigar.

Los colores también se clasifican en **colores primarios**, que son el rojo, el amarillo y el azul; y si los mezclas entre sí, puedes conseguir otros más, a los que llamamos **colores secundarios**.

Ahora necesitarás las pinturas para hacer tu **círculo cromático**.

- Pinta con rojo, amarillo y azul en los espacios señalados en el círculo.
- Mezcla en los recipientes los colores que se te indican y, con los colores que resulten, pinta en los espacios correspondientes.

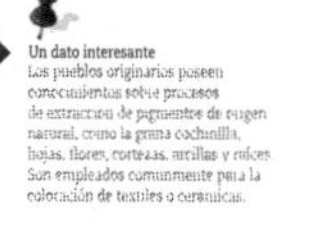

Un dato interesante
Los pueblos originarios poseen conocimientos sobre procesos de extracción de pigmentos de origen natural, como la grana cochinilla, hojas, flores, cortezas, semillas y raíces. Son empleados comúnmente para la coloración de textiles o cerámicas.

¿Qué colores obtuviste? ¿Qué pasaría si al rojo le agregas unas gotas de pintura blanca y los combinas? ¿Y si al mismo color le agregas una gota de pintura negra? Experimenta con otros colores.

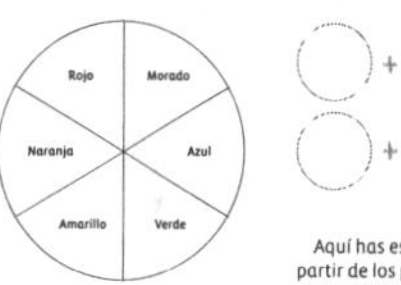

+ blanco =
+ negro =

Aquí has estudiado los colores a partir de los pigmentos. También se estudian a partir de la luz; el ojo capta la luz que reflejan los objetos y la traduce en color.

Cuando pintas, ¿cómo haces para decidir qué colores pondrás en los objetos que representas? Comenta lo que piensas con el compañero que tengas más cerca.

Para la próxima clase...
Necesitarás un tapete, cobija o petate y un cordón largo, que mida desde el centro de tu cabeza hasta tus pies.

Para la siguiente clase...
Materiales que ocuparás en la próxima sesión.

Algunas palabras se destacan con color azul porque son importantes en Educación Artística. Pon atención en ellas.

Escala
Junto a las reproducciones de obras de arte aparece una silueta humana que te ayudará a imaginar de qué tamaño es la obra.

Autoevaluación
Aquí revisarás lo que has aprendido, el resultado es sólo para ti y te permitirá estar satisfecho y seguir aprendiendo mucho más.

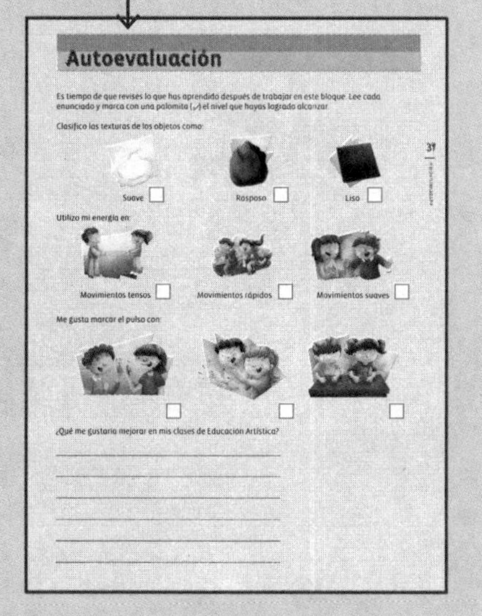

Autoevaluación

Es tiempo de que revises lo que has aprendido después de trabajar en este bloque. Lee cada enunciado y marca con una palomita (✓) el nivel que hayas logrado alcanzar.

Clasifico las texturas de los objetos como:

Suave ☐ Rasposo ☐ Liso ☐

Utilizo mi energía en:

Movimientos tensos ☐ Movimientos rápidos ☐ Movimientos suaves ☐

Me gusta marcar el pulso con:

☐ ☐ ☐

¿Qué me gustaría mejorar en mis clases de Educación Artística?

Integro lo aprendido
En esta lección usarás todo lo que has aprendido a lo largo del bloque al realizar una actividad donde combines los lenguajes artísticos: danza, música, artes visuales y teatro.

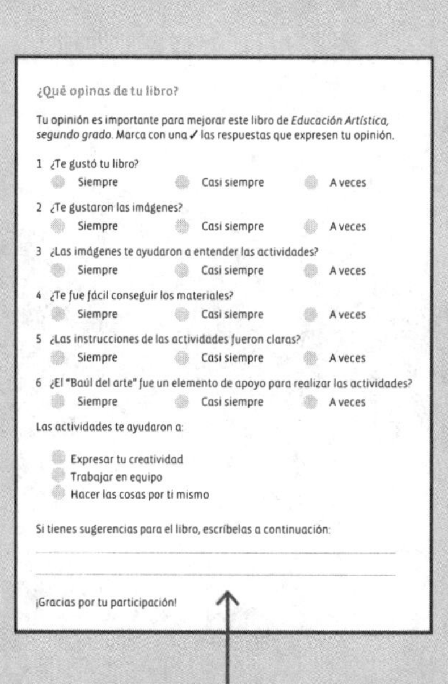

¿Qué opinas de tu libro?

Tu opinión es importante para mejorar este libro de *Educación Artística, segundo grado*. Marca con una ✓ las respuestas que expresen tu opinión.

1 ¿Te gustó tu libro?
Siempre Casi siempre A veces

2 ¿Te gustaron las imágenes?
Siempre Casi siempre A veces

3 ¿Las imágenes te ayudaron a entender las actividades?
Siempre Casi siempre A veces

4 ¿Te fue fácil conseguir los materiales?
Siempre Casi siempre A veces

5 ¿Las instrucciones de las actividades fueron claras?
Siempre Casi siempre A veces

6 ¿El "Baúl del arte" fue un elemento de apoyo para realizar las actividades?
Siempre Casi siempre A veces

Las actividades te ayudaron a:

Expresar tu creatividad
Trabajar en equipo
Hacer las cosas por ti mismo

Si tienes sugerencias para el libro, escríbelas a continuación:

¡Gracias por tu participación!

Integro lo aprendido

Si pones atención puedes sorprenderte con las cosas que encuentras a tu alrededor: las formas de las cosas, sus sonidos y el movimiento de los seres vivos tienen muchos secretos guardados que puedes descubrir...

Materiales:
Gises de colores.

- Dividan su grupo en cuatro equipos y elijan un representante por cada uno. Comenten qué llamó su atención en el camino de su casa a la escuela. ¿Vieron animales? ¿Cómo se movían? ¿Cómo caminaban las personas que encontraron? Cada uno elija un animal o un personaje que quiera representar.
- Cada equipo trazará en el patio de la escuela el siguiente esquema.
- Para empezar a jugar, todos se colocarán alrededor del esquema y caminarán como el animal o el personaje que eligieron. Cuando el maestro empiece a marcar un ritmo breve con sus palmas, el representante de cada equipo dirá en voz alta el nombre de alguna figura geométrica del esquema. En ese momento, todos tendrán que correr y apoyar una parte del cuerpo, como se indica a continuación:

¿Qué opinas de tu libro?
Al final del libro hay un cuestionario. Llénalo para decirnos qué te pareció tu libro y en qué podemos mejorarlo.

Proyecto de ensamble

El ciclo escolar se acerca a su fin. A lo largo de todo un año han aprendido, jugado, experimentado y creado desde el mundo de las artes visuales, la danza, la música y el teatro. Ahora es importante realizar un proyecto de ensamble, en el cual retomen varios de los aprendizajes que adquirieron durante el año. Pensar en este proyecto será un acto creativo, lo mismo que dibujar o leer.

¿Es posible realizar una actividad en la que integres lo que aprendiste durante el año en Educación Artística?

- Platiquen entre ustedes y su maestro ideas acerca de lo que les gustaría realizar para este final de ciclo escolar. Tal vez pueden convertir el salón en un museo con las obras que realizaron a lo largo del año; utilicen los objetos del "Baúl del arte" y el mobiliario.

Materiales:
Cartulinas, tijeras, pinturas acrílicas, pinceles y objetos del "Baúl del arte" que puedan producir sonidos.

Proyecto de ensamble
Al terminar el año pondrás en práctica todo lo que sabes de Educación Artística al realizar con tu grupo un proyecto.

Bloque I

Lección 1 Comencemos el año

Durante el primer año de tus clases de Educación Artística aprendiste a observar detenidamente tu cuerpo e hiciste dibujos. Descubriste que te puedes comunicar a través de tus movimientos, gestos y posturas. También lograste percibir de dónde provienen los sonidos y sus diferencias: hay sonidos largos y cortos; fuertes y suaves; graves y agudos.

Este año te esperan nuevas experiencias; por ejemplo: ¿te imaginas qué pasaría si mezclaras los colores?, ¿podrás girar como un trompo?, ¿por qué crees que algunas personas mueven su cuerpo cuando escuchan música?, ¿cómo podrías transformar un espacio para representar una obra de teatro? Todo esto lo explorarás en este grado a través de los lenguajes artísticos. ¿Estás listo para esta nueva aventura?

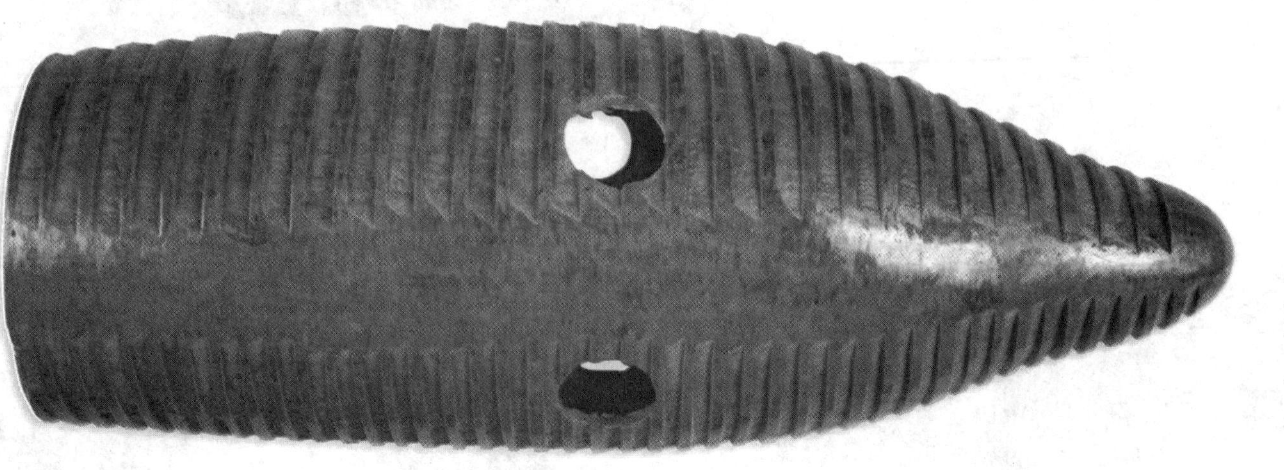

Con tu grupo y tu maestro organízate para llenar el

"Baúl del arte". ¿Recuerdas? En el ciclo anterior hicieron lo mismo: el baúl es como una caja de tesoros colocada en un lugar especial del salón; ahí guardarán los materiales que irán usando en el desarrollo de sus lecciones. Por eso, piensen entre todos qué pueden traer y traten de incluir objetos y materiales de reúso.

Para la próxima clase...
Necesitarás traer estambres de cualquier color que midan al menos tres metros de largo, hojas y lápices de colores.

Lección 2 Sólo un punto

En esta lección reconocerás que el punto y la línea son los elementos básicos para hacer un dibujo.

Lo que conozco

Observa atentamente tu salón y descubre dónde hay puntos y líneas.

Un punto puede parecer muy diminuto; pero si comparas dos hojas, una en blanco y otra con un punto, ¡sí que se nota la diferencia! En una hoja haz pruebas utilizando lápices de colores para que puedas comprobarlo tú mismo. El **punto** es una señal gráfica, la más chiquita, la más elemental. Puede decirse que en las artes visuales todo comienza a partir de un punto.

Materiales:
Estambres de cualquier color que midan al menos tres metros de largo, hojas y lápices de colores.

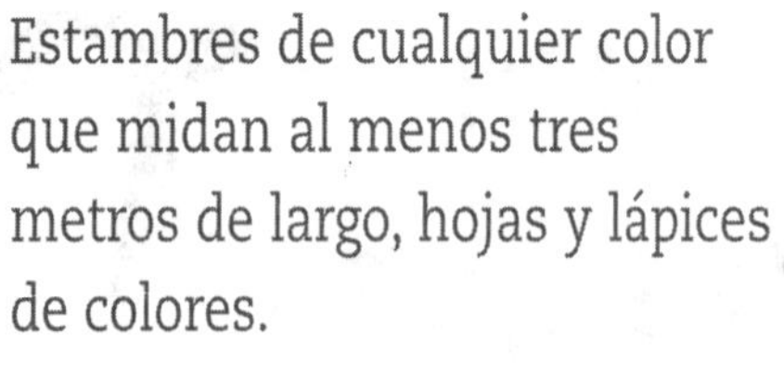

Un dato interesante
¿Sabías que las imágenes de los libros, ya sean pinturas o fotografías, están formadas con pequeños puntos de sólo cuatro colores? Observa con una lupa algún libro o periódico y descubre si las imágenes están formadas por puntos, ¡la impresión a color es una maravilla tecnológica!

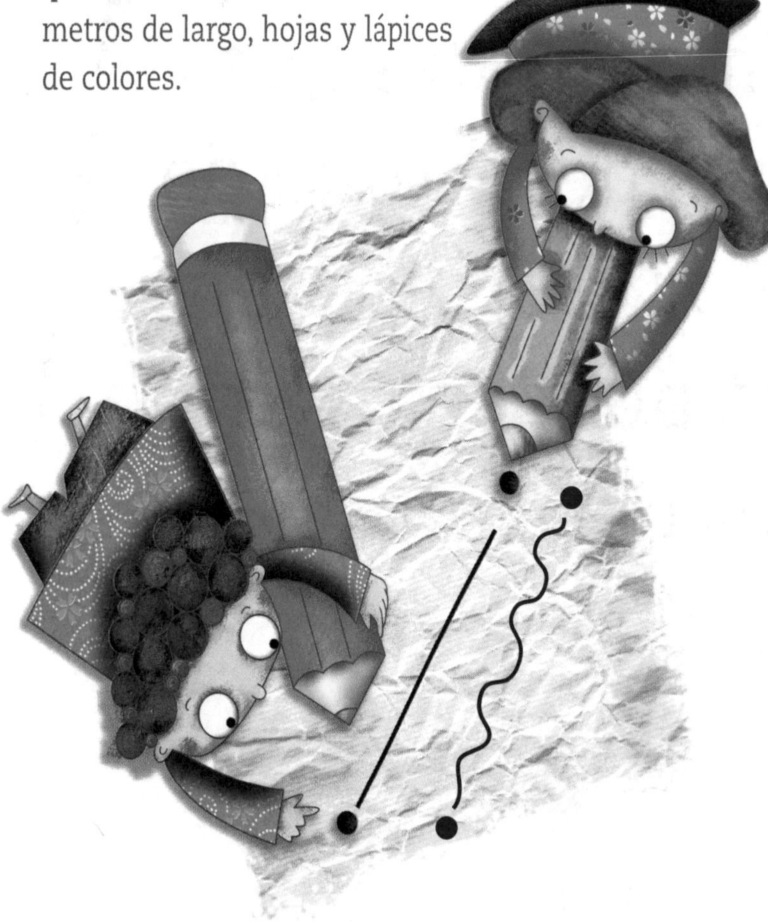

Con dos líneas
horizontales
y dos líneas verticales,
todas del mismo tamaño,
puedes dibujar un cuadrado.
¡Estás creando a partir
de un pequeño punto!

Si dibujas un punto y lo repites varias veces, uno en seguida del otro, tendrás una línea. Una **línea** es una marca continua y casi siempre se usa para dar contorno a las figuras que se dibujan; las líneas pueden ser rectas o curvas, horizontales, verticales o inclinadas. Observa la imagen que aparece en la página 15 y verás cómo los artistas utilizan líneas curvas y rectas, algunas gruesas y otras más delgadas. Los diferentes tipos de líneas expresan cosas distintas.

Llamamos **horizonte** a la línea imaginaria que separa el cielo de la tierra o del mar. En los dibujos el horizonte a veces está marcado con una línea que simula el suelo. Si no hubiera línea de horizonte parecería que los objetos flotan.

Ahora, mediante líneas, van a convertir el salón en una telaraña gigante.

- Saquen todos los estambres, éstos serán las líneas. Comiencen amarrando el extremo de un estambre a una silla, mesa o cualquier objeto que lo permita y muévanse buscando otro punto del que puedan amarrarlo, tratando de formar distintas líneas en su recorrido a lo largo del salón, como si ustedes fueran unas arañas tejiendo su red.
- Jueguen con los estambres, dejando que algunos estén tensos y otros más sueltos.
- Tengan cuidado al irse moviendo, ya que en poco tiempo todo el espacio estará lleno de líneas que les impedirán circular con facilidad.
- Al finalizar la telaraña colóquense alrededor de ella, obsérvenla cuidadosamente desde diferentes lugares y dibújenla iniciando con un punto.

"Fray Jerónimo lo rasgó, Fray Pablo de Jesús lo pintó", *Bernardo de Gálvez. Conde de Gálvez* (1796), óleo sobre tela, 205 x 200 cm.

Comenta con tus compañeros: ¿Qué líneas surgieron? ¿Qué sensaciones experimentaste al crear una telaraña gigante?, ¿has observado con atención alguna telaraña real?, ¿en qué se parece a la que hicieron?

Los artistas exploran las posibilidades expresivas de las líneas. Cuando dibujan, buscan transmitir movimiento, fuerza, ideas y emociones.

Para la próxima clase...
Necesitarás música y un reproductor de sonido para todos.

Lección 3 ¡Todo hacia adentro y hacia afuera!

En esta lección explorarás con tu cuerpo movimientos opuestos: grandes y pequeños, tensos o relajados.

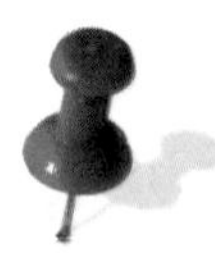

Materiales:
Música y un reproductor de sonido para todos.

Lo que conozco

¿Has visto cómo se contrae el cuerpo de una cochinilla? ¿Has observado cómo se encogen y se estiran los gusanos? ¿Te imaginas cómo está el cuerpo de una tortuga cuando se mete por completo al caparazón? Intenta hacer los movimientos de estos animales con tu cuerpo.

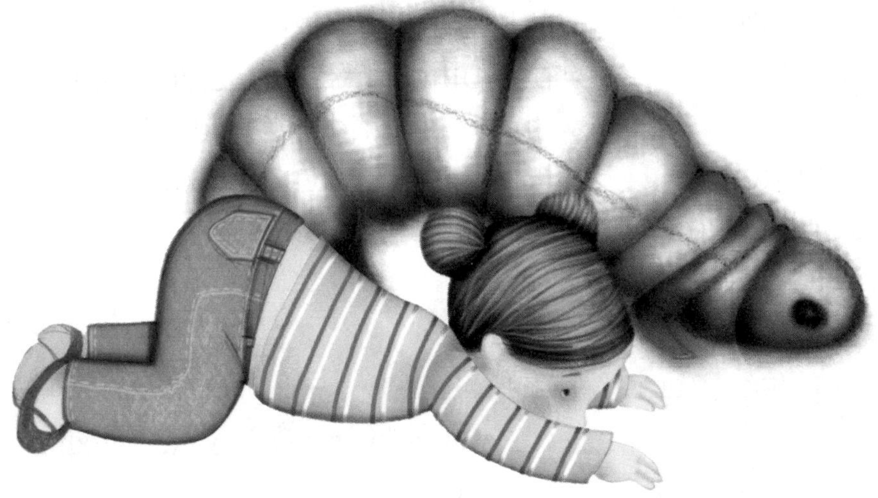

Tu maestro será el guía de la siguiente actividad.

- Pongan algo de música y muévanse libremente por el salón. Exploren movimientos grandes y pequeños cuando su maestro se los indique.
- En cualquier momento su maestro hará una pausa en la música y todos deberán quedar totalmente inmóviles, ¡no muevan ni una pestaña! Perciban la sensación de su cuerpo en esa quietud.
- Después, caminen por todo el salón imaginando que su cuerpo está hecho de distintos materiales; por ejemplo: ¿qué pasaría si su cuerpo fuera de madera?, ¿cómo se moverían?, ¿y si fuera de metal, de trapo o de chicle?

Hagan un círculo grande con todos los compañeros para intercambiar sus experiencias. ¿Qué cambios percibiste en tu cuerpo al realizar los diferentes movimientos?, ¿cuál fue la sensación que tuviste al quedarte quieto?

La danza es el arte de crear y combinar distintos movimientos; por ejemplo: tu cuerpo puede contraerse o alargarse, como hacen algunos animales. También puedes hacer movimientos grandes, pequeños, tensos y relajados, como experimentaste con el ejercicio del cuerpo hecho de diferentes materiales. A estos movimientos se les llama **opuestos** y con ellos podrás crear tu propia danza.

Para la próxima clase...
Necesitarás un objeto con el que puedas producir sonidos, como una cacerola vieja y campanitas. Quizá ya esté en tu "Baúl del arte".

Un dato interesante
Martha Graham (1894-1991), fue una gran bailarina y coreógrafa estadounidense, que creó una forma muy particular de bailar combinando movimientos de tensión y relajación como los que hiciste en esta lección.

Lección 4 Los sonidos en mi oreja

Este año participarás en actividades y juegos que te ayudarán a identificar las cualidades del sonido: intensidad, duración, altura y timbre.

Lo que conozco

¿Qué sonidos cortos puedes producir con tu cuerpo? ¿Con qué objetos puedes hacer que los sonidos sean largos?

Materiales:
Un objeto con el que puedas producir sonidos.

Los sonidos pueden venir de instrumentos musicales, pero también de personas, animales, máquinas, del bosque, del campo, de la ciudad o hasta de una carretera.

- Guarda silencio y escucha con atención. ¿Puedes distinguir de dónde vienen todos los sonidos que te rodean? Anótalos aquí.

____

____

____

En la siguiente ilustración, ¿qué sonidos podrían existir?

Los sonidos pueden ser suaves, tanto que casi no logres escucharlos; o tan fuertes que tengas que cubrirte los oídos. A esta cualidad del sonido se le conoce como **intensidad**.

¿Reconoces la diferencia entre un sonido largo y uno corto? Un sonido corto lo puedes producir con un chasquido de tus dedos. En cambio, si frotas lentamente un objeto contra otro puedes producir un sonido largo. ¡Intenta ambas sugerencias! Ahora estás jugando con la cualidad del sonido conocida como **duración**.

Toma el objeto que trajiste para producir un sonido, o bien, un objeto del "Baúl del arte".

- Trata de hacer sonidos suaves para luego aumentar poco a poco su intensidad hasta que sean muy fuertes.
- Después, toca sonidos cortos con el objeto que estás utilizando. Prueba si con él también puedes producir sonidos largos. ¡Realiza experimentos con la duración!

Poco a poco identificarás las **cualidades del sonido**. ¿Con qué materiales inventarías un instrumento musical que produjera sonidos muy largos? ¿Qué nombre le darías?

Consulta en:
Para crear una composición sencilla que combine sonidos largos y cortos, mira y escucha: http://www.a.gob.mx/#/juegos haz click en el apartado "Juego con sonidos" atararear.

Lección 5 ¿Cómo son los sonidos?

Ahora, seguirás conociendo las cualidades del sonido mediante actividades y juegos.

Lo que conozco

¿Cuántas intensidades diferentes puedes hacer con tu voz? ¿Qué duración tienen los sonidos que puedes producir con las palmas de tus manos?

En la lección anterior aprendiste algunas cualidades del sonido, como la **intensidad** y la **duración**.

Pero todavía hay más cualidades por descubrir.

Escucha con atención los sonidos que te rodean y escribe el nombre de objetos que produzcan sonidos agudos.

____

____

____

____

____

____

Intenta imitar esos sonidos con tu voz.

Hay sonidos que se parecen al canto de un ave muy pequeña o al chillido de un ratón. A estos sonidos se les conoce como agudos.

Escucha los sonidos que te rodean, anota aquí el nombre de los objetos que producen sonidos graves e intenta reproducirlos con tu voz.

____

____

____

____

____

Al reconocer o producir sonidos graves o agudos estás experimentando con otra cualidad del sonido: la **altura**.

Gracias a la cualidad del sonido conocida como **timbre** puedes saber qué está produciendo un sonido. En la noche, antes de dormirte, cierra los ojos y escucha los sonidos que te rodean, ¿cuáles identificaste?

Existen otros sonidos que son parecidos al rugido de un león o de un enorme oso. A estos sonidos se les conoce como graves.

Si tienes algún instrumento como pandero, sonajas, güiro, u otro que haya en tu región, explora qué sonidos de diferente altura puede producir y cómo es su timbre.

En la escuela, en el camino a tu casa, en la cocina o en cualquier lugar escucha lo que te rodea y juega a identificar las cualidades del sonido.

Ahora puedes identificar las cuatro cualidades del sonido: intensidad, duración, altura y timbre.

Un dato interesante
El contrabajo es un enorme instrumento que utiliza cuerdas muy gruesas para producir sonidos graves, ¡es tan grande como un adulto! ¿Cómo tocarías un contrabajo con tu estatura? ¿Con trabajo?

Para la próxima clase...
Durante la semana obsérvate en un espejo y dibuja cómo es tu cara al hacer diferentes gestos, como cuando estás enojado, triste o contento. Organízate con tus compañeros para traer dos cajas vacías del tamaño de las que se usan para galletas o para zapatos (dos para todo el grupo).

Lección 6 La tómbola de los gestos

Aquí aprenderás a reconocer que tus gestos, tu voz y la forma en que hablas te identifican.

Lo que conozco

¿Cómo es tu voz?, ¿has escuchado cómo cambia cuando estás enojado y cuando estás contento? Y tus gestos, ¿cambian? ¿Cuál es el gesto que más te identifica?

Materiales:
Dos cajas de cartón (pueden ser de galletas o de zapatos) para todo el grupo.

Todos tenemos características físicas en común, como dos orejas o dos ojos, pero nuestros gestos, nuestra manera de expresarnos y hasta el tono de voz nos diferencian y nos hacen únicos.

Comenten en grupo cómo cambian sus gestos y su tono de voz en diferentes situaciones.

- En tres papeles anoten las palabras: “gestos”, “cuerpo” y “voz”, una por cada papel, y colóquenlos en una de las cajas.
- Luego cada uno anote una emoción, puede ser "tristeza", "alegría" o "enojo", en otro papel y deposítenlo en la segunda caja.

- Cada uno pasará al frente y tomará un papel de cada caja; deberá representar la emoción indicada usando el cuerpo, la voz o haciendo gestos.
- Traten de adivinar qué emoción representa cada uno de sus compañeros.
- Si te toca expresarte con la voz ponte de espaldas a los espectadores y permanece quieto.
- Traten de adivinar qué emoción representa cada uno de sus compañeros.

¿Cómo identificaste las emociones que se fueron presentando?, ¿te ríes siempre de la misma manera?, ¿cuál es el gesto más frecuente que te identifica? Seguramente percibiste tanto diferencias como similitudes entre tus compañeros y tú. Esto es lo que nos hace ser únicos, pero, al mismo tiempo, formar parte de un grupo.

Consulta en:
Para ver ejemplos sobre gestos y jugar con ellos:
http://www.a.gob.mx/#/actividades
haz click en el apartado "cara de...".

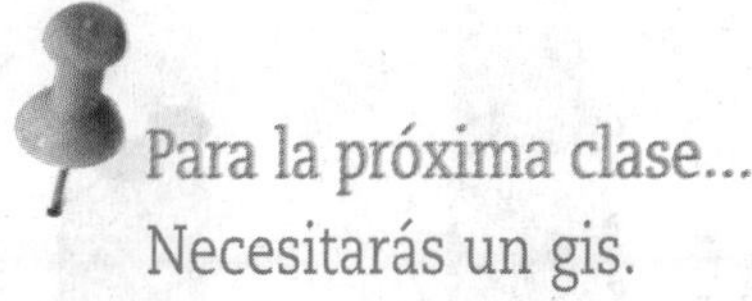

Para la próxima clase...
Necesitarás un gis.

Integro lo aprendido

En esta lección integrarás tus conocimientos de diferentes lenguajes artísticos.

- Con el apoyo de su maestro, tomen el gis que trajeron, salgan al patio y dibujen puntos y líneas por todo el piso.

Materiales:
Un gis.

- Salten de un punto a una línea, una y otra vez.
- Cuando caigan en puntos contraigan su cuerpo y hagan sonidos cortos con sus palmas.
- Cuando caigan en las líneas estiren su cuerpo y produzcan sonidos largos con su voz.
- Para terminar, siéntense en el piso y comenten con su maestro lo que han aprendido a lo largo de este bloque: ¿qué temas aplicaron en esta lección? ¿Cómo se sintieron al utilizar su voz y sus gestos?
- Date cuenta de que, a partir de todo lo que aprendes, puedes crear y tener un sinfín de experiencias.

Para la próxima clase...
Necesitarás objetos con diferentes texturas: algodón, una lija, una piedra pequeña lisa y otra rugosa, una rama seca, una moneda, u otros.

Autoevaluación

Es tiempo de que revises lo que has aprendido después de trabajar en este bloque. Lee cada enunciado y marca con una palomita (✔) el nivel que hayas logrado alcanzar.

Realizo con mi cuerpo movimientos opuestos como:

☐ ☐ ☐

En mis dibujos utilizo este tipo de líneas:

☐ ☐ ☐

El gesto que más me identifica es:

☐ ☐ ☐

¿Qué me gustaría mejorar en mis clases de Educación Artística?

____

____

____

____

____

Se sintió lleno de ansia por contemplar
el rostro de Elena la Hermosa, por cuyo
compitiendo los más brillantes
con sus maravillosos
lo que prorrumpió en lágrimas
lloró

Bloque II

Lección 7 Veo con mis manos

A tu alrededor existen diferentes texturas que puedes identificar con el tacto y con la vista. En esta lección aprenderás a reconocerlas.

Lo que conozco

¿Has tocado una rana?, ¿has metido la mano en una bolsa de frijoles?, ¿has sentido el pasto bajo tus pies? ¿Cómo percibes todas estas cosas?

Materiales:
Algodón, una lija, una piedra pequeña lisa y otra rugosa, una rama seca, una moneda y objetos con diferentes texturas que puedes buscar en el "Baúl del arte".

Para conocer lo que nos rodea usamos nuestros sentidos. Por medio de ellos apreciamos las cualidades de los objetos, de las personas, de las plantas y de los animales.

Una de estas cualidades es la textura y podemos percibirla por medio del sentido del tacto pero también con el de la vista.

La **textura** es una cualidad visual y táctil de los objetos y puedes observarla en piezas artísticas como pinturas, esculturas, obras arquitectónicas, etcétera.

De los materiales que trajiste, selecciona uno y utiliza el tacto para conocer su textura. ¿Te agrada o desagrada tocarlo? ¿Qué sensación te produce? Describe tu objeto:

____

____

____

Realizarán la siguiente actividad por parejas.

- Uno irá hacia un lado del salón y cerrará los ojos por dos minutos.
- Mientras tanto, el otro buscará un objeto, colocará una hoja de

Gerardo Lenin, *La Magdalena y los ángeles* (2010) reproducción táctil de la obra de Ciro Ferri (c. 1660), 90.5 x 93.5 cm.

(detalle)

papel sobre éste y frotará rápidamente con un lápiz. Una vez que termine, mostrará la hoja a su pareja, quien deberá adivinar qué objeto produjo esa textura.

- Repitan la actividad intercambiando los roles.

Comenten entre todos: ¿percibieron la diferencia entre la textura del objeto elegido y la imagen dibujada? ¿Fue fácil adivinar, viendo sólo el dibujo?, ¿de qué objeto se trataba?, ¿cómo se sintieron las texturas?, ¿qué formas observaron en ellas?

La técnica que utilizaste para registrar las texturas se llama *frottage* y es usada en las artes visuales.

Las personas que por alguna razón no pueden ver utilizan sus otros sentidos para obtener información del mundo. ¿Cómo piensas que lo hacen?

Lección 8 La energía entre tus manos

Aquí aprenderás a utilizar tu energía para realizar movimientos suaves, lentos y rápidos, entre otros.

Lo que conozco

La energía permite realizar las actividades diarias; ¿cómo te sientes cuando estás cansado o no has dormido bien?

Experimenta una forma de sentir tu energía con el siguiente ejercicio.

- Ponte de pie y haz un círculo grande con tus compañeros.
- Sacude tus manos frente a ti y cuenta hasta 10 mientras lo haces. ¡Para!, no bajes ni muevas tus manos. ¿Qué sientes?

- Acerca lo más que puedas las palmas de tus manos sin que se toquen.
- Separa lentamente tus manos, imagina que están conectadas por un chicle invisible; alarga el chicle, acórtalo; ahora lentamente hazlo bolita, muévelo como quieras y siente tu energía.

En cada movimiento que realizas utilizas tu energía de distinta manera. Interpreta lo siguiente, incorporando lo que viste en la lección tres: "¡Todo hacia adentro y hacia afuera!":

- Muévete como si tuvieras mucha prisa.
- Ahora, como si cargaras cosas muy pesadas, apoyándolas en distintas partes de tu cuerpo.
- También intenta moverte ligero como una nube o una pluma.

- Y si fueras un robot cansado, ¿cómo te moverías?
- Comenta tu experiencia con tus compañeros y maestro.

La energía nos permite movernos de diferentes maneras: rápido, lento, pesado, suave o brusco, entre otras. En danza a estas características se les llama **cualidades del movimiento**.

Pensando en todo lo que sentiste y experimentaste, escribe qué es la energía para ti.

____

____

____

Consulta en:
Si quieres experimentar otro ejercicio relacionado con este tema busca http://a.gob.mx/#/actividades y haz click en “baila como un chicle”.

Un dato interesante
Nuestro cuerpo obtiene energía de los alimentos, por eso es importante llevar una dieta saludable.

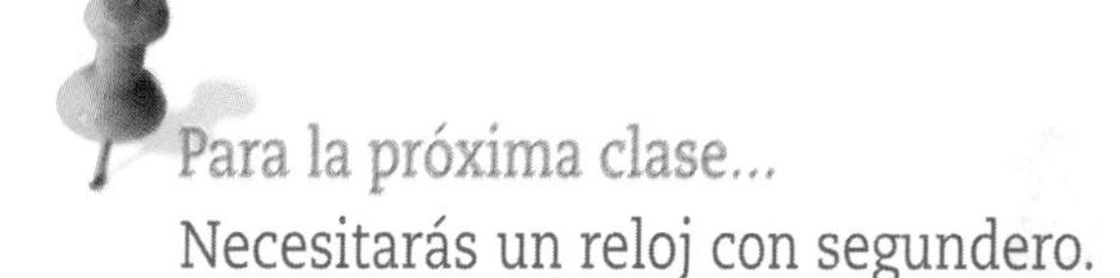

Para la próxima clase...
Necesitarás un reloj con segundero.

Herminia Pavón, *Juegos infantiles* (2009), acuarela, 35 x 56 cm.

Lección 9 Al compás del reloj

Es tiempo de seguir descubriendo los temas que te ayudan a conocer más sobre la música. Uno de ellos es el pulso, el cual es muy fácil de identificar y de seguir.

Lo que conozco

¿Te has dado cuenta de que muchas personas mueven su cuerpo o sus piernas al escuchar música? ¿Por qué será?

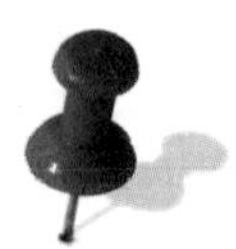

Materiales:
Un reloj con segundero.

En música, el **pulso** está relacionado con el tiempo. En una canción, el pulso se repite una y otra vez, como el segundero de un reloj. Es tan fácil reconocerlo que muchas personas mueven partes de su cuerpo al sentirlo o les dan ganas de bailar.

En algunas melodías, el pulso es muy veloz mientras que en otras es lento y pausado. ¿Cómo es el pulso de tu canción favorita? Observen la siguiente tabla y lleven a cabo la actividad.

tic	tac	tic	tac
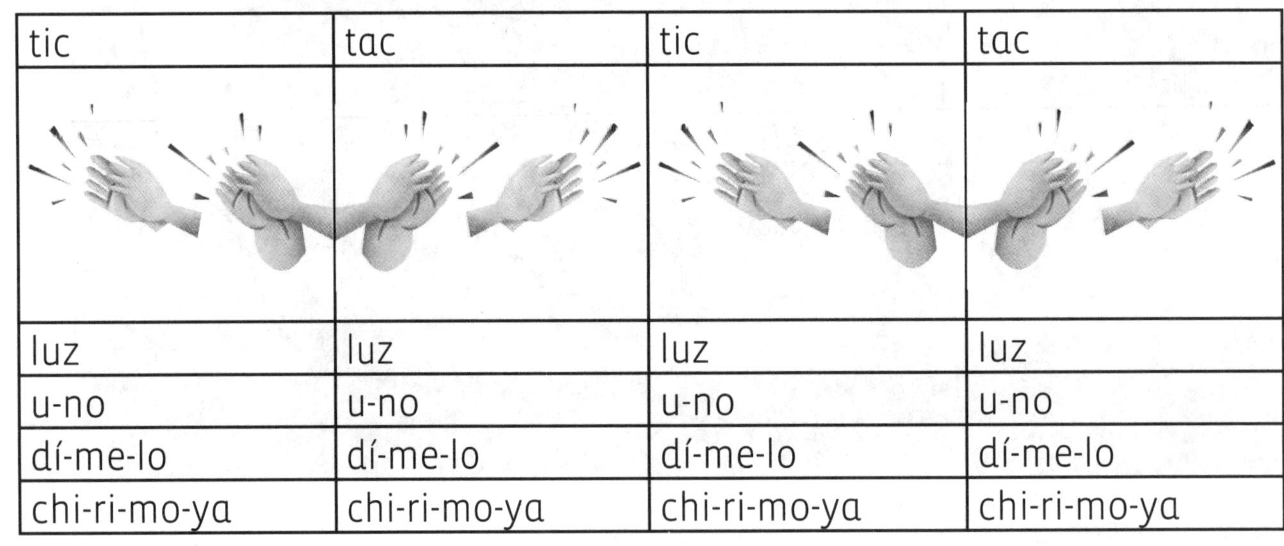			
luz	luz	luz	luz
u-no	u-no	u-no	u-no
dí-me-lo	dí-me-lo	dí-me-lo	dí-me-lo
chi-ri-mo-ya	chi-ri-mo-ya	chi-ri-mo-ya	chi-ri-mo-ya

- Comiencen escuchando el segundero: tic-tac, tic-tac, tic-tac.
- Sigan ese pulso con las palmas o golpeando el piso con el pie. Recuerden que siempre deben hacerlo todos juntos.
- Una vez que todos sigan el pulso agreguen sílabas en cada golpe. Por ejemplo: luz-luz, luz-luz. Inténtenlo con otras palabras de una sílaba.

- Después jueguen con palabras de dos sílabas: u-no, u-no, u-no. Pongan mucha atención en decir ambas en cada golpe.
- Poco a poco pueden aumentar la complejidad utilizando palabras de tres o cuatro sílabas: “Dí-me-lo, dí-me-lo, dí-me-lo”; “chi-ri-mo-ya, chi-ri-mo-ya, chi-ri-mo-ya”

Un dato interesante

El trabajo de un director de orquesta requiere de gran concentración porque, entre muchas otras cosas, debe marcar pulsos o ritmos en piezas que pueden durar más de una hora.

Lección 10 Las voces de mi lugar

Aquí aprenderás a representar personajes del lugar donde vives a partir de la observación de sus rasgos principales.

Lo que conozco

Cuando vas camino a la escuela, en tu recorrido encuentras algunas personas. ¿Qué características tienen que llamen tu atención?

Lee el texto siguiente:

Pablo vive en un pueblo pequeño. Todos los días, en su camino a la escuela saluda a muchas personas.

Primero encuentra a doña Lucía, la de la tlapalería.

—¡Buen día, muchacho! dice doña Lucía, con una voz delgadita.

—¡Hola, Pablito, que te vaya bien en la escuela, hijo! lo saluda don Pepe, el abuelo de su vecina, con una voz ronca y seca.

—¿Ya se te curó tu raspón, Pablito? pregunta suavemente Susana, la doctora del pueblo, cuando lo ve pasar.

—¡Pancito caliente y dorado! ¡Pruebe el pan resobado! grita don Nemorio, cerca del quiosco.

—¡Hola, Pablo, ven a jugar! le dice su amiga Juanita, cuando lo ve entrar a la escuela.

Las personas hablan diferente, algunas tienen una voz grave, como el rugido de un oso, otras tan aguda como el chillido de un ratón. Pero además de la voz, también usan palabras y gestos diferentes según el lugar donde viven, el trabajo que tienen y su edad.

- Vuelve a leer el texto anterior, pero ahora en voz alta. Imita las voces de las personas que saludan a Pablo. Acompaña las voces con gestos y movimientos para caracterizar a los personajes.
- Formen equipos y seleccionen a varias personas de su localidad.
- ¿Quiénes son esas personas? ¿Hacen algún gesto que llame la atención?, ¿cuál?
- Imiten respetuosamente la manera en que hablan y se mueven.
- ¿Qué tan difícil fue representar los gestos de las personas elegidas? ¿Piensan que si alguien cambia su voz y sus gestos ya no lo reconocerían?, coméntenlo.

Además de comunicarnos con las palabras, también el movimiento de nuestro cuerpo, nuestros gestos e incluso la forma en que miramos, expresan nuestra personalidad.

Para la próxima clase...
Necesitas hojas de papel, lápices de colores, pegamento, diversos materiales con los que puedas hacer texturas, como hojas secas, azúcar o tierra, entre otros.

Integro lo aprendido

Al jugar puedes convertirte en personajes con habilidades increíbles. Por ejemplo, puedes ser una mujer con la fuerza suficiente para levantar una montaña. Tal vez prefieras ser un hombre de chicle o alguien que puede hacer llover para que crezcan las plantas.

¿Cómo son los personajes de tus juegos?

Materiales:
Hojas de papel, lápices de colores, pegamento, diversos materiales con los que puedas hacer texturas, como hojas secas, azúcar o tierra, entre otros que estén en el "Baúl del arte".

Imagina que has adquirido grandes poderes para cambiar tu cuerpo.

¿Qué pasaría si decidieras usar tus habilidades o dones para hacer el bien y para mejorar el lugar donde vives? Para comenzar, dibuja en una hoja la ropa que usarás en tus aventuras. Puedes usar los materiales que se te ocurran para crear texturas al decorar tu traje; por ejemplo, hojas, tierra o azúcar.

En tu dibujo puedes escribir la historia de tu personaje y hasta describir cómo funciona cada parte de tu traje especial.

Experimenta las habilidades que tu cuerpo ha adquirido. Recuerda la lección donde trabajaste con la energía.

Puedes estirarte hasta el techo, crear una gigantesca pelota de energía para salvar al mundo de los rayos ultravioleta o agitar tus manos para crear un campo de protección.

Si lo deseas, crea junto con tus amigos un grupo que defienda al mundo de la amenaza del deterioro ambiental.

Discute con tus compañeros, ¿es posible hacer realidad las cosas que dibujamos o pintamos?, ¿cómo?

Para la próxima clase...
Necesitarás traer de tu casa un objeto de uso cotidiano. No temas, después lo regresarás intacto a tu casa. También objetos del "Baúl del arte".

Autoevaluación

Es tiempo de que revises lo que has aprendido después de trabajar en este bloque. Lee cada enunciado y marca con una palomita (✔) el nivel que hayas logrado alcanzar.

Clasifico las texturas de los objetos como:

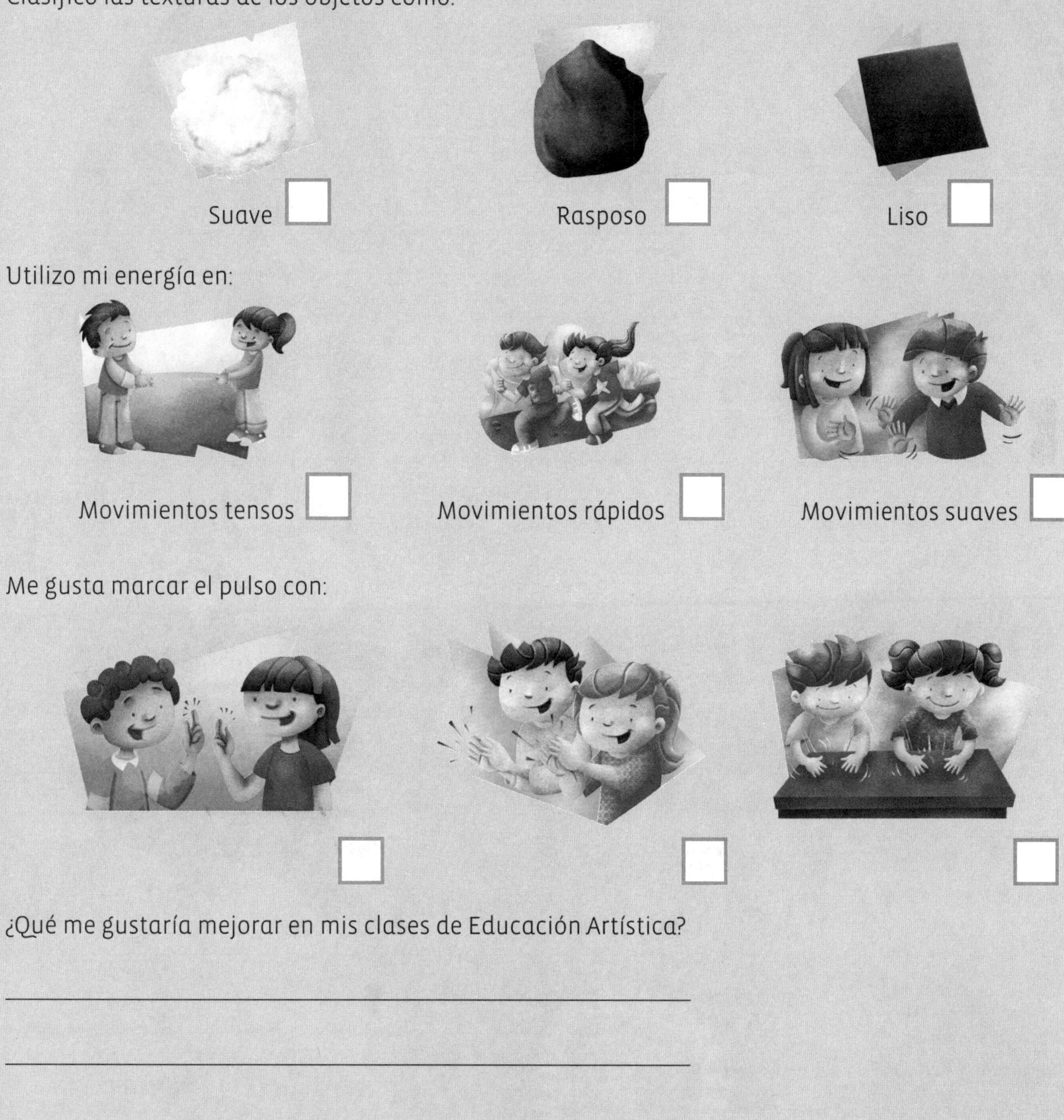

Suave ☐ Rasposo ☐ Liso ☐

Utilizo mi energía en:

Movimientos tensos ☐ Movimientos rápidos ☐ Movimientos suaves ☐

Me gusta marcar el pulso con:

☐ ☐ ☐

¿Qué me gustaría mejorar en mis clases de Educación Artística?

____

____

____

____

____

____

Bloque III

Lección 11 ¡Veo, veo! ¿Qué ves?

Las cosas que nos rodean tienen diferentes características que nos sirven para identificarlas. Aquí aprenderás a reconocer cuáles son las cualidades visuales.

Materiales:
Objetos de uso cotidiano y objetos del "Baúl del arte".

Lo que conozco

Observa tu entorno, ¿qué objetos ves?, ¿qué características tienen?, ¿qué formas hay en ellos?, ¿de qué tamaño son?, ¿cuáles son sus colores? Describe detalladamente lo que más llamó tu atención.

Cuando observas tu entorno te encuentras con infinidad de elementos muy distintos entre sí. Desde una pequeña hormiga que camina sobre el tronco rugoso de un enorme árbol hasta un gran edificio frente a un arbusto diminuto.

Gracias a las **cualidades visuales** de los objetos podemos identificar sus características físicas: color, forma, tamaño y textura. Anteriormente identificaste la textura, ahora conocerás las otras cualidades.

Con los objetos que trajeron hagan el siguiente ejercicio.

- Busquen un lugar amplio.
- Coloquen todos los objetos en el centro.
- Clasifíquenlos de acuerdo con sus diferentes cualidades visuales: por tamaño, forma, color, o por las texturas de los materiales con que están hechos.

Al terminar, comenten entre todos: ¿qué fue más fácil: ordenar por tamaño, por forma, por color o por textura?, ¿por qué?

Así como describes con palabras a las personas y a los objetos que te rodean, también lo puedes hacer mediante un dibujo o una pintura. Algunos artistas, en sus creaciones, se esfuerzan para que las cosas que pintan se vean tal como son; otros, en cambio, experimentan modificando sus cualidades. Por ejemplo, ¡pintan perros cuadrados y caras azules!

Para la próxima clase...
Necesitarás traer una cobija, un tapete o un petate. También deberás observar algunas estatuas del lugar donde vives; dibújalas en la posición en que se encuentran.

Nahúm B. Zenil, *Yo soy mi casa. Tú eres mi casa* (1996), Arte objeto, 174 x 110 x 90 cm.

Lección 12 ¡Aaaaaapoyo! ¡Me caigo!

Aquí aprenderás a reconocer tus puntos de apoyo.

Lo que conozco

¿Qué partes del cuerpo apoyas cuando caminas o te sientas?, ¿y si gateas?

Las partes del cuerpo que soportan el peso y que ayudan a mantener el equilibrio se llaman **puntos de apoyo**. Los ocupamos todo el tiempo en acciones cotidianas.

Materiales:
Cobijas, tapetes o petates y dibujos de estatuas.

- Comenta con tus compañeros los dibujos de las estatuas del lugar donde vives. ¿En qué posición están?, ¿y qué puntos de apoyo utilizan? ¿Puedes hacer esa posición con tu cuerpo? Inténtalo.
- Despejen el área central de su salón y extiendan sus cobijas, tapetes o petates. Recuéstense boca arriba. Perciban qué partes del cuerpo se apoyan sobre el suelo. Después de un rato adopten otra posición y sientan qué partes apoyan ahora.

Conjunto de Artes Escénicas de China, Escuela artística de la provincia de Sichuan, China, 2004.

- Elijan dos puntos de apoyo y realicen una figura. Luego, escojan tres puntos e inventen otra y así sucesivamente, utilizando cada vez diferentes partes del cuerpo.
- A continuación, escoge las dos posiciones que más te gustaron y escribe lo que se te indica.

En la primera posición apoyé las siguientes partes de mi cuerpo:

____

____

____

____

____

En otras posiciones apoyé las siguientes partes de mi cuerpo:

____

____

____

____

____

____

____

____

La base del cuerpo son los pies, ellos soportan todo tu peso y son tus puntos de apoyo más importantes. Debes pararte derecho para que el peso de tu cuerpo se distribuya correctamente.

Conjunto de Artes Escénicas de China, Escuela artística de la provincia de Sichuan, China, 2004.

Para la próxima clase...
Necesitarás gises.

Lección 13 La línea del equilibrio

Aquí aprenderás a reconocer el sentido del equilibrio.

Lo que conozco

¿En qué movimientos cotidianos utilizas el equilibrio? Coméntalo con tu maestro y compañeros y hagan una lluvia de ideas.

Tu maestro dirigirá la siguiente actividad.

Materiales:
Gises.

- Salgan al patio y entre todos formen un círculo.
- Cada uno de ustedes se parará derecho, colocando los pies separados a una distancia aproximada del ancho de su cadera.
- Después cierren sus ojos e imaginen que están en un barco o lancha, balanceen el cuerpo varias veces de un lado hacia otro y de adelante hacia atrás, sin separar los pies del piso.
- Abran los ojos.

Un dato interesante
¿Sabías que el equilibrio se encuentra dentro de tus oídos? Por ello es importante cuidarlos. ¿Qué haces para protegerlos?

¿Qué sintieron? ¿Qué puntos de apoyo utilizaron para mantener el equilibrio?

Luego, por equipos, dibujen con un gis una línea larga en el piso y juntos inventen distintas formas de cruzar la línea; por ejemplo, saltando en un pie o colocando las manos sobre los pies. ¿Cómo lo harían con los ojos cerrados? ¿Y con un libro en la cabeza?

Los bailarines desarrollan al máximo su equilibrio corporal. Algunos logran mantener todo su peso en la punta de los pies; otros bailan con un vaso lleno de agua o grandes tocados sobre la cabeza. También consiguen pararse de manos y dar maromas.

Si conoces a alguien que realice un acto de destreza corporal, pregúntale cómo lo hace y coméntalo en tu salón.

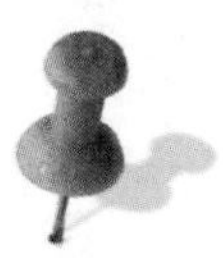

Para la próxima clase... Necesitarás un objeto para producir sonidos.

Danzas folclóricas de Rajasthán, India, compañía Living Arts, 2008.

Lección 14 Aplausos con ritmo

A partir de los juegos que has realizado con el pulso, comenzarás a crear ritmos.

Lo que conozco

¿Cómo marcas el pulso de las canciones que escuchas?

Un **ritmo** es la repetición constante y ordenada de sonidos de distinta duración y con distintos acentos. Ejemplo: dos sonidos cortos, uno largo: "tá-ta-taaa, tá-ta-taaa"; o dos largos y uno corto: "táaa-taaa-ta, táaa-taaa-ta". También pueden combinarse con silencios: "tá-( )-taaa, tá-( )-taaa".

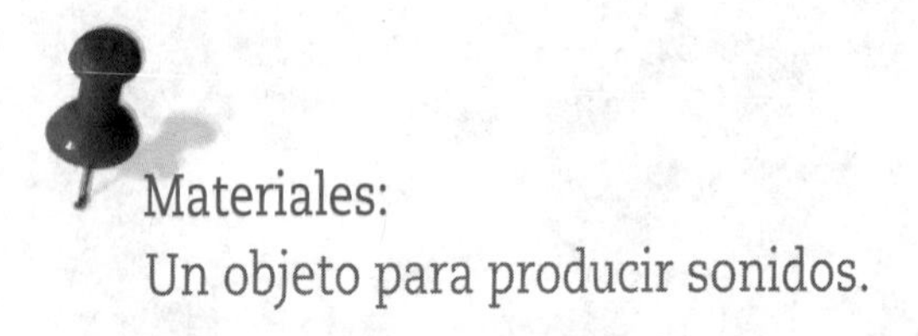

Materiales:
Un objeto para producir sonidos.

- Sigan un pulso emitiendo un sonido con su voz. Traten de no ir ni más rápido ni más lento; siempre vayan igual.
- La mitad del grupo mantendrá el pulso con su voz y sobre ese mismo pulso la otra mitad inventará un ritmo con las palmas.
- Tomen un objeto del "Baúl del arte" con el que puedan producir sonido y hagan el mismo ritmo que hicieron con las palmas; luego intercambien las funciones de cada equipo.
- Inventen y toquen todos los ritmos que se les ocurran.
- Para terminar comenten: ¿Cuántos ritmos lograron inventar? ¿Qué diferencias hubo entre ellos? ¿Qué sintieron al crearlos?

Los músicos ponen mucha atención en sus compañeros para ir siempre juntos al tocar sus instrumentos. Imagina a más de 80 músicos que forman una orquesta, ¡sería un desastre si no se escucharan unos a otros!

dos sonidos cortos, uno largo;
dos sonidos cortos, uno largo;

Lección 15 El camino a la escuela

Aquí conocerás las propuestas de tus compañeros. También podrás opinar sobre sus representaciones, luego de escuchar con atención lo que dicen.

Lo que conozco

A lo largo de tus lecciones de Educación Artística, ¿qué opiniones han tenido tus compañeros sobre tu trabajo? Y tú, ¿qué piensas acerca de las representaciones de tus compañeros?

- Ahora forma equipos de cinco o más compañeros. Todos al mismo tiempo contarán en voz alta lo que vieron en el camino de su casa a la escuela. Tienen dos minutos para hacerlo.
- Trata de repetir exactamente lo que contó tu compañero de al lado. ¿Qué pudiste escuchar?

Lee:

Pati y Rosa son vecinas y todas las mañanas van juntas a la escuela.

A veces cuentan sus pasos, brincan charcos y saludan a la gente que se encuentran al pasar.

Al llegar a la escuela conversan y descubren que, aunque pasaron por el mismo camino, los detalles que llamaron su atención fueron distintos. Pati recuerda la cara feliz de doña Hermila al saludarla; en cambio Rosa atesora el reflejo de la luz del Sol en el charco.

Comenta con tus compañeros, ¿cómo podrían escuchar mejor lo que dijeron? En el teatro es muy importante que el público guarde silencio y escuche atentamente para que pueda entender lo que sucede en la obra.

- Ahora cada uno de ustedes contará a sus compañeros la misma historia, pero esta vez por turnos.
- Transforma tu camino a la escuela en una aventura. Puedes inventar detalles y agregar cosas sobre las personas y los objetos que viste, para hacerla más interesante.
- Al contar tu historia, usa tus manos y tu cuerpo; emplea gestos para describir a tus personajes.
- Al final de la clase expresa a tus compañeros lo que piensas de las historias que ellos contaron; hazlo de manera sincera y respetuosa.

Para entender las historias, la música, el cine y, en general, para conocer o comprender tu entorno es importante que escuches atentamente.

Para la próxima clase...
Necesitarás gises de colores.

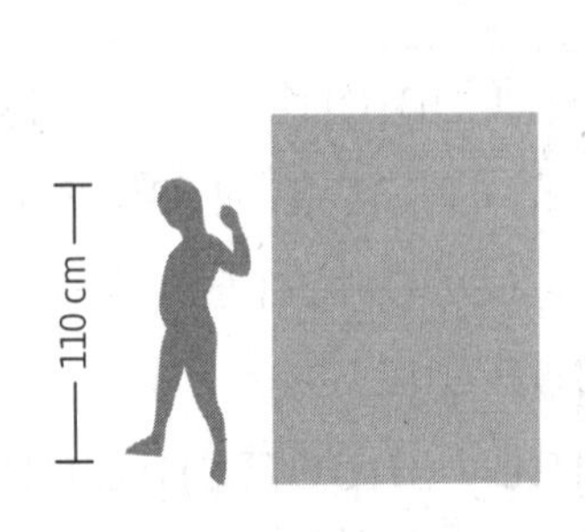

Alfonso Michel, *Muchacho alegre* (1952), óleo sobre tela, 145 x 110 cm.

Integro lo aprendido

Si pones atención puedes sorprenderte con las cosas que encuentras a tu alrededor: las formas de las cosas, sus sonidos y el movimiento de los seres vivos tienen muchos secretos guardados que puedes descubrir...

Materiales:
Gises de colores.

- Dividan su grupo en cuatro equipos y elijan un representante por cada uno. Comenten qué llamó su atención en el camino de su casa a la escuela. ¿Vieron animales? ¿Cómo se movían? ¿Cómo caminaban las personas que encontraron? Cada uno elija un animal o un personaje que quiera representar.
- Cada equipo trazará en el patio de la escuela el siguiente esquema.

- Para empezar a jugar, todos se colocarán alrededor del esquema y caminarán como el animal o el personaje que eligieron. Cuando el maestro empiece a marcar un ritmo breve con sus palmas, el representante de cada equipo dirá en voz alta el nombre de alguna figura geométrica del esquema. En ese momento, todos tendrán que correr y apoyar una parte del cuerpo, como se indica a continuación:

▲ = codo

● = rodilla

■ = cabeza

- Cuando el maestro deje de marcar el ritmo, seguirán caminando como lo hicieron al principio.

Hasta ahora, en tus clases de Educación Artística has aprendido diferentes características de las formas, los sonidos y movimientos que te rodean. Has descubierto muchas cosas acerca de ti mismo, de los demás y del lugar donde vives.

Para la próxima clase...
Necesitarás cinco taparroscas u otros recipientes pequeños; pintura acrílica o vinílica roja, amarilla, azul, blanca y negra; también necesitarás algunos pinceles u otro objeto con el que puedas utilizar la pintura y un cuarto de cartulina blanca.

Niños jugando en las calles de Cambodia.

Autoevaluación

Es tiempo de que revises lo que has aprendido después de trabajar en este bloque. Lee cada enunciado y marca con una palomita (✔) el nivel que hayas logrado alcanzar.

Las cualidades visuales que me ayudan a clasificar los objetos son:

Textura ☐

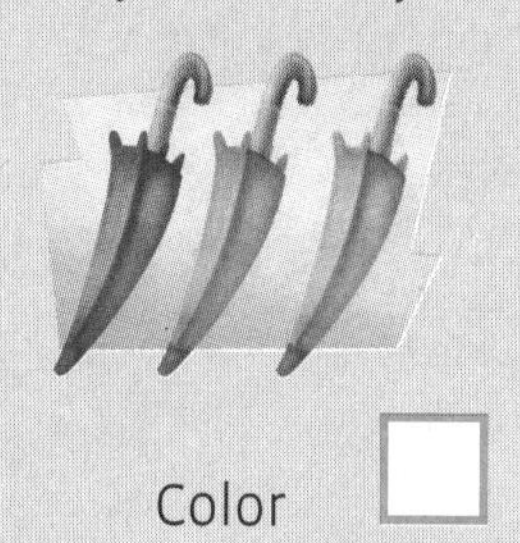

Color ☐

Tamaño ☐

Utilizo equilibrio para:

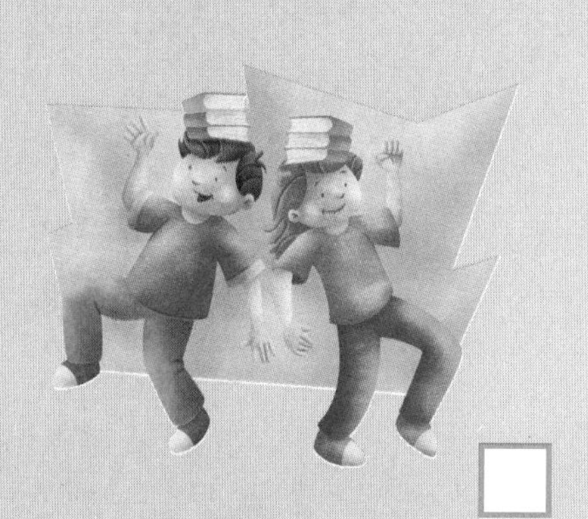

☐

☐

☐

Juego con mis compañeros para crear un ritmo con:

☐

☐

☐

¿Qué me gustaría mejorar en mis clases de Educación Artística?

____

____

____

Bloque IV

Lección 16 Si mezclo rojo, azul y amarillo...

En tu entorno puedes observar una gran variedad de colores; en esta lección aprenderás a distinguir los colores primarios y sus posibilidades.

Lo que conozco

¿De qué color es el cielo?, ¿y el mar? ¿Son siempre del mismo color?, ¿por qué?

El color también es una **cualidad visual**. ¿Has visto películas en blanco y negro? ¿Te imaginas que la vida fuera sólo en tonos grises? Gracias a la luz podemos ver infinidad de colores.

Llamamos **colores cálidos** a aquellos en los que predominan los tonos rojos y naranjas, mientras que en los **colores fríos** aparecen los tonos azules y los verdes. Si te fijas bien, los colores cálidos nos hacen pensar en elementos como el fuego o un desierto mientras que los fríos nos recuerdan a la noche o a un bosque; por ello los llamamos así.

Piensa en tus colores. El lápiz, el crayón, las acuarelas o cualquier otra pintura que hayas usado tienen color porque se fabricaron con diferentes pigmentos.

Materiales:
Cinco taparroscas o recipientes pequeños, pintura acrílica o vinílica roja, amarilla, azul, blanca y negra; pinceles y un cuarto de una cartulina blanca.

Los colores también se clasifican en **colores primarios,** que son el rojo, el amarillo y el azul; y si los mezclas entre sí, puedes conseguir otros más, a los que llamamos **colores secundarios.**

Ahora necesitarás las pinturas para hacer tu **círculo cromático.**

Un dato interesante
Los pueblos originarios poseen conocimientos sobre procesos de extracción de pigmentos de origen natural, como la grana cochinilla, hojas, flores, cortezas, arcillas y raíces. Son empleados comúnmente para la coloración de textiles o cerámicas.

- Pinta con rojo, amarillo y azul en los espacios señalados en el círculo.
- Mezcla en los recipientes los colores que se te indican y, con los colores que resulten, pinta en los espacios correspondientes.

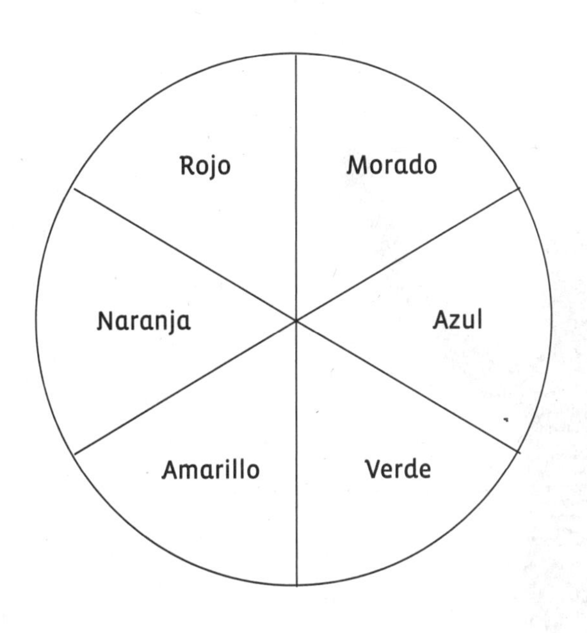

¿Qué colores obtuviste? ¿Qué pasaría si al rojo le agregas unas gotas de pintura blanca y los combinas? ¿Y si al mismo color le agregas una gota de pintura negra? Experimenta con otros colores.

+ blanco =

+ negro =

Aquí has estudiado los colores a partir de los pigmentos. También se estudian a partir de la luz; el ojo capta la luz que reflejan los objetos y la traduce en color.

Cuando pintas, ¿cómo haces para decidir qué colores pondrás en los objetos que representas? Comenta lo que piensas con el compañero que tengas más cerca.

Para la próxima clase...
Necesitarás un tapete, cobija o petate y un cordón largo, que mida desde el centro de tu cabeza hasta tus pies.

Lección 17 ¡Salgamos a girar!

Aquí aprenderás a hacer giros y maromas para explorar tus ejes y planos corporales.

Lo que conozco

¿Cómo haces una maroma? ¿En qué direcciones puedes desplazar tu cuerpo?

Mantener una buena postura es importante para los bailarines, de ese modo pueden crear nuevos movimientos sin lastimarse. Ellos utilizan líneas imaginarias que los ayudan a colocar correctamente su cuerpo y moverse. Estas líneas se llaman **ejes**. Obsérvalas detenidamente en el esquema. Por parejas, y con el cordón que trajeron de casa, intenten representar una línea imaginaria que recorra la mitad de su cuerpo, igual que la línea roja del esquema; este cordón representará su **eje vertical**.

Ahora intenten colocar su cuerpo con una buena postura, guíense por las imágenes y corríjanse entre ustedes.

Materiales:
Un tapete, cobija o petate y un cordón largo, que mida desde el centro de tu cabeza hasta tus pies.

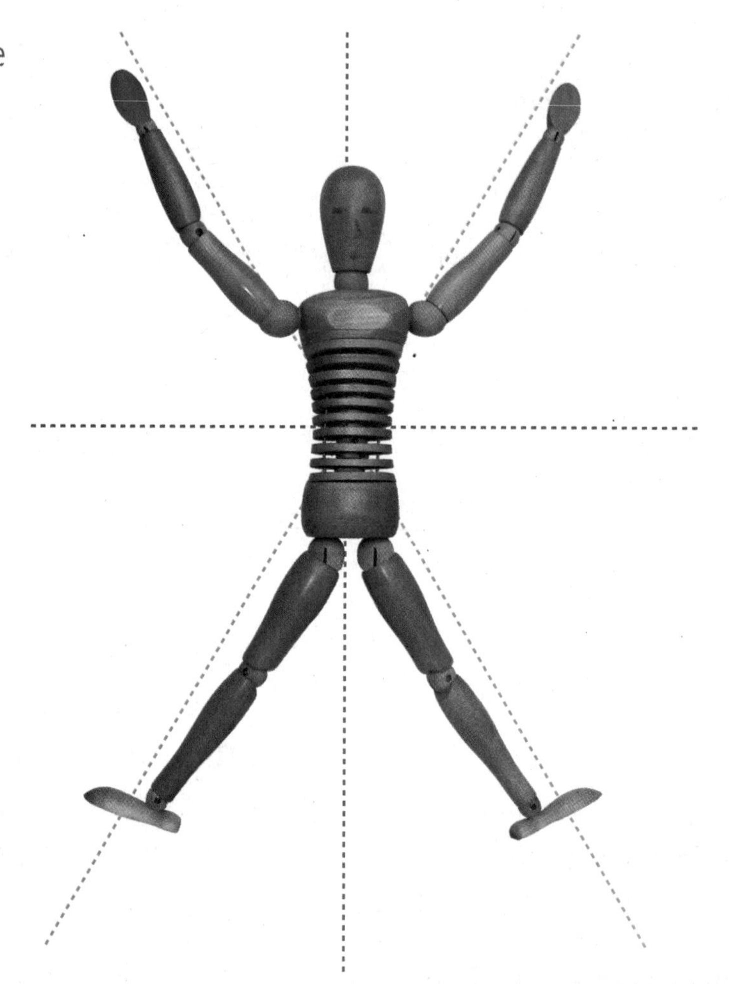

Cuando logren la postura adecuada, prueben pararse de puntitas. ¿Qué hacen para mantener el equilibrio? Si lo logran, su cuerpo estará utilizando nuevamente el eje vertical.

Los bailarines practican constantemente para girar sobre su eje, como los trompos; y para no marearse fijan su mirada en un punto en el espacio. ¡Experiméntalo!

Planos

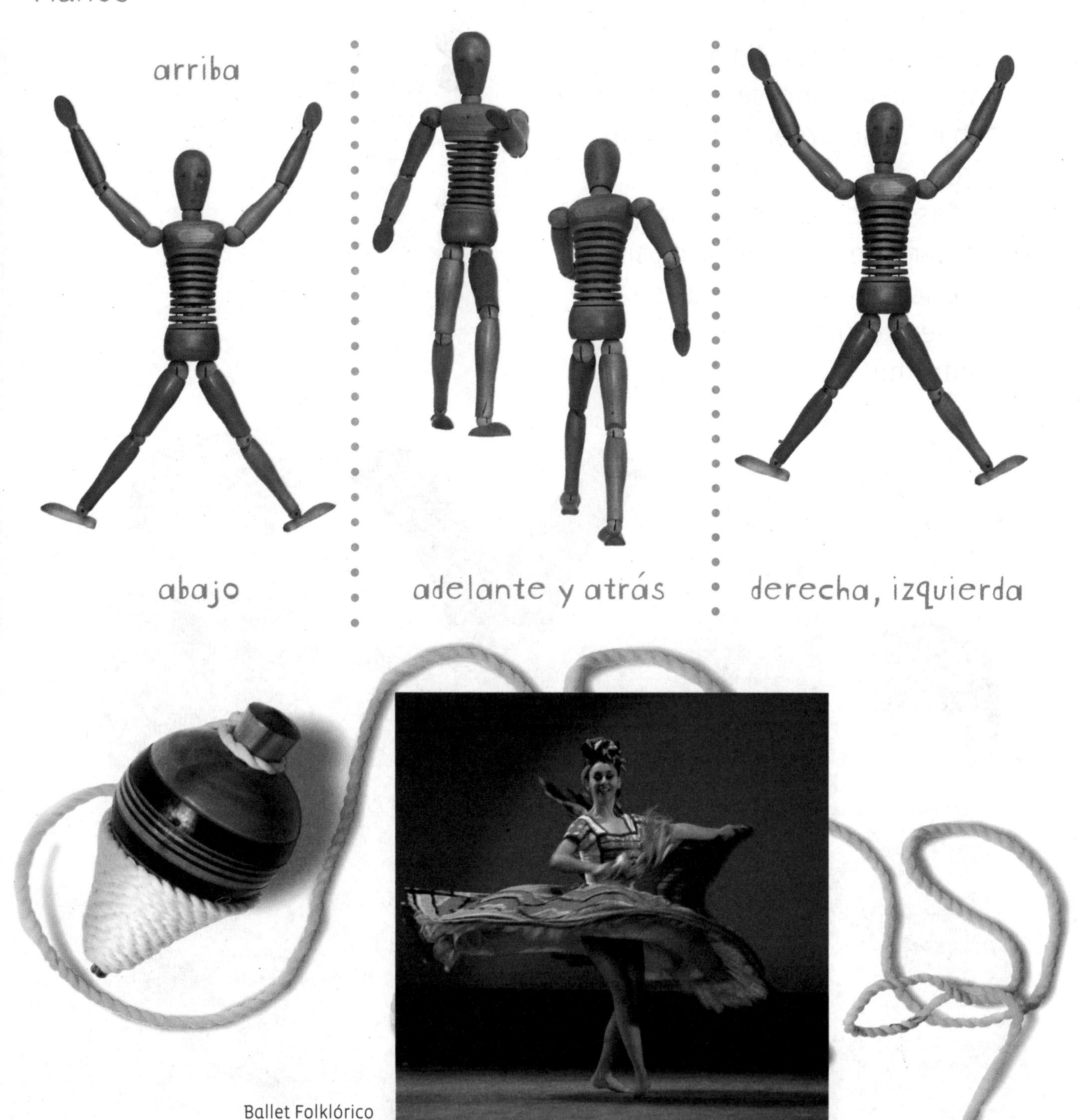

Ballet Folklórico de Amalia Hernández, 2000.

- Ponte de pie y fíjate en un punto del salón. Ahora gira tu cuerpo; en cuanto termines una vuelta, vuelve a fijar la vista en el punto que elegiste. Practícalo varias veces, como los bailarines. ¡A girar!
- Sal del salón con tus compañeros.
- Extiendan su cobija o tapete para no lastimarse, acuéstense en el suelo y rueden como un tronco.
- Si las condiciones del espacio lo permiten, apóyense en sus manos y rodillas, metan su cabeza e intenten dar una maroma.
- Regresen al salón, refrésquense un poco y comenten sus experiencias.

Los bailarines, los gimnastas y acróbatas realizan grandes actos de destreza utilizando lo que has practicado a lo largo de este año.

Para la próxima clase...
Necesitarás colores y hojas blancas.

Te recomendamos:
Realizar una actividad dancística al aire libre y en un día soleado, para que tus huesos crezcan sanos y fuertes.

La levedad de las lenguas,
compañía Humanicorp
Teatro Danza Aérea, 2005.

Cuando saltas, giras,
das maromas o vueltas de carro,
entre otros movimientos,
utilizas los ejes corporales,
tu sentido del equilibrio
y varios puntos de apoyo.

Lección 18 Traza el ritmo

Seguirás avanzando en tus experiencias musicales. El próximo paso es representar sonidos, ritmos e intensidades con dibujos.

Lo que conozco

¿Alguna vez has intentado dibujar sonidos? ¿Cómo llevarías un sonido a una hoja de papel?

Materiales:
Colores y hojas blancas.

Los sonidos tienen diferente intensidad y duración, ¿recuerdas?

Entre todo el grupo inventen trazos, dibujos o garabatos que representen sonidos de distinta duración. Por ejemplo, ¿cómo dibujarían sonidos muy largos, mucho muy largos? ¿o tan cortos como sea posible? Dibújenlos en el pizarrón.

Ahora, cada uno de ustedes inventará y escribirá un ritmo, con base en los trazos que inventaron. ¿Qué colores utilizarías para representar sonidos suaves y cuáles para los fuertes?, ¿por qué? Observa estos ejemplos y escribe en el cuaderno, tu composición rítmica.

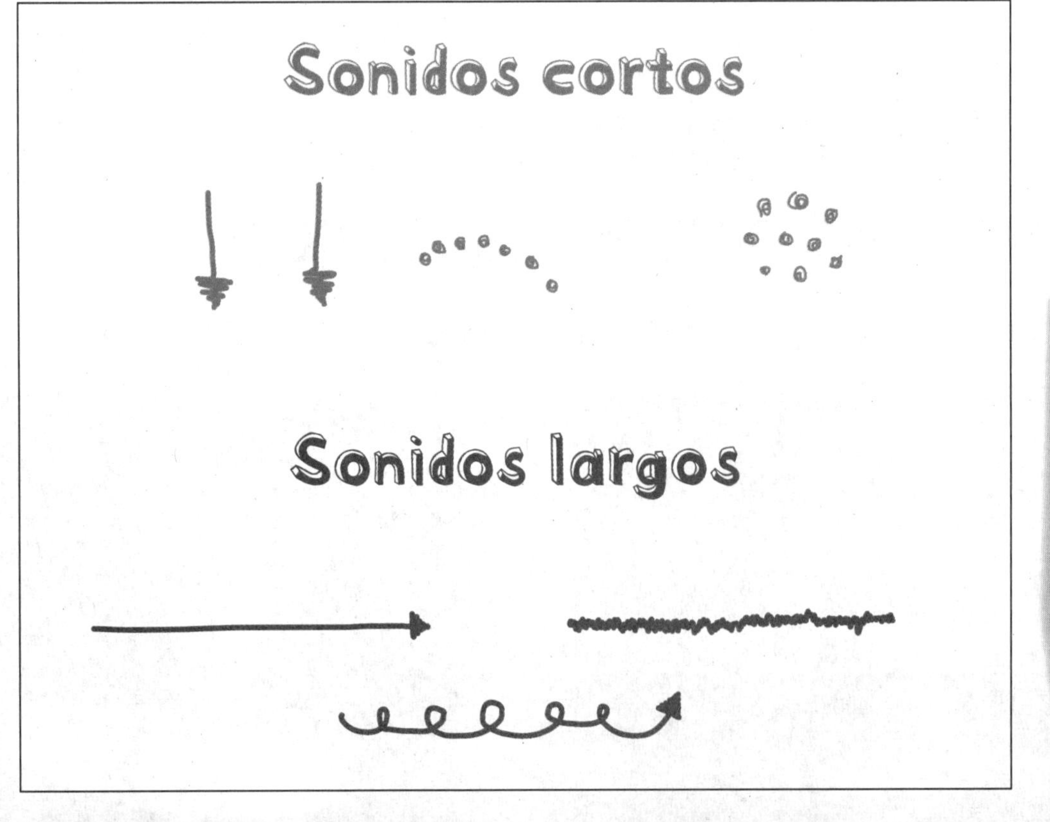

Luis Alberto Ruiz,
Tren Sub-Urbano (2007),
acuarela, 120 x 80 cm.

Para ejecutar sus ritmos formen equipos; cada integrante mostrará el que escribió y, entre todos, identificarán los sonidos fuertes y los suaves.

Intercambien su escritura con otros compañeros. Traten de tocar los ritmos que ellos hicieron, utilicen sus palmas, algún instrumento o un objeto del "Baúl del arte".

Después de este ejercicio, ¿consideras que es igual de fácil escribir tu propia música que tocar la que escribió alguien más? ¿Por qué?

Si la música se escribe, puede transmitirse de generación en generación y de un pueblo a otro. ¿Conoces a alguien que escriba música?, ¿a quién?, ¿qué instrumento toca?

Un dato interesante

Los pianos tienen tres pedales. Uno de ellos puede hacer que los sonidos se hagan muy largos y que sigan sonando ¡aun cuando se dejen de tocar las teclas!

Lección 19 El mundo al revés

Aquí aprenderás a reconocer tu individualidad y la manera en que formas parte de lo que te rodea.

Lo que conozco

¿Cómo es el lugar donde vives?, ¿qué cambios has notado?, ¿te han gustado?

Así como tú vas cambiando al crecer, también la gente y las cosas cambian con el paso del tiempo. Cuando tu entorno se modifica, tu manera individual de vivir y actuar refleja esos cambios al mismo tiempo que provoca otros más.

Ya pensaste en tu entorno tal como es y en las relaciones que tienes con él; ahora vas a ejercitar la imaginación, creando un mundo diferente, que no existe.

- Imagina que tus compañeros y tú viven en el mundo al revés, donde todas las cosas tienen un uso diferente.
- ¿Cómo utilizarías una mesa en el mundo al revés? ¿Cómo utilizarías los demás objetos del aula?

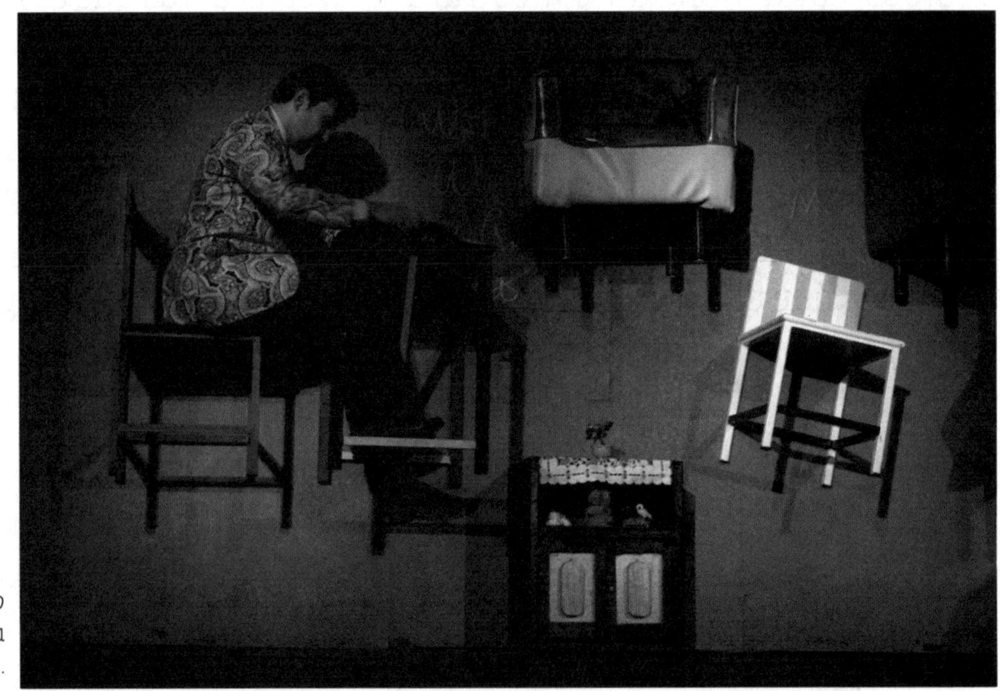

Willy Protágoras encerrado en el baño, compañía Tapioca Inn, 2008.

- Dividan su grupo en equipos, formen un círculo y cada uno represente ante sus compañeros el nuevo uso que tienen los objetos que normalmente usan en la casa o en la escuela.
- Tal vez también las personas hagan un trabajo diferente. Y tú, ¿cómo serías en ese mundo al revés? Represéntalo ante tus compañeros; por ejemplo, ¿cómo caminarías, cómo abrazarías, cómo te enojarías?.
- Al finalizar, comenta con tus compañeros: ¿qué pasó en el mundo al revés que sería imposible que ocurriera en este mundo real?

Cada uno de nosotros es distinto y tiene una forma particular de comportarse, aprender, pensar y sentir, pero el entorno es también muy importante para cada uno de nosotros, porque formamos parte de él.

Consulta en:
Para jugar diseñando tus propios entornos y personajes teatrales
http://www.a.gob.mx/#/juegos
haz click en el apartado "Historias y personajes para el teatro".

Integro lo aprendido

Imagina que eres el protagonista de la siguiente aventura:

Desde una banca del parque observo el mundo que me rodea.

Corro libremente por el parque, giro como un trompo y, al hacerlo, veo todos los colores a mi alrededor, ruedo por el pasto y recuerdo qué colores mezclé para obtener el verde.

Me siento a descansar, tomo un poco de agua para refrescarme. Mientras me relajo siento el pulso de mi corazón y percibo sonidos. A lo lejos escucho música, distingo y siento el ritmo. ¡Puedo escribirlo!

De pronto, veo una banca, salto sobre ella y me encuentro en un caballo. En mi mundo al revés los objetos cotidianos se transforman en lo que yo quiero. Mi caballo y yo galopamos por el parque y pintamos ritmos en el aire.

El mundo gira, el tiempo pasa, se hace de noche y la aventura termina. Es hora de regresar a casa.

Después de tu aventura en este bloque, exprésate en este espacio. ¿Qué parte te gustó más?, ¿por qué? ¿Qué pensaste?

____

____

____

____

____

Para la próxima clase... Necesitarás papel grande, del tamaño de lo que mides, pincel y pintura o café soluble.

Autoevaluación

Es tiempo de que revises lo que has aprendido después de trabajar en este bloque. Lee cada enunciado y marca con una palomita (✔) el nivel que hayas logrado alcanzar.

La intensidad y duración de los sonidos pueden representarse con:

dibujos y garabatos ☐

palmadas ☐

instrumentos musicales ☐

Invento mis ritmos mezclando sonidos:

Fuertes y cortos ☐

Fuertes y largos ☐

suaves y cortos ☐

Suaves y largos ☐

En mis dibujos me gusta utilizar esta mezcla de colores:

☐ ☐ ☐

¿Qué me gustaría mejorar en mis clases de Educación Artística?

____

____

____

____

____

Bloque V

Lección 20 Lo que veo en las nubes

Aquí aprenderás a emplear las formas básicas para crear representaciones de tu entorno.

Lo que conozco

¿Qué forma tiene el pizarrón de tu salón?, ¿se parece a la forma de un espejo? La Luna, ¿tiene siempre la misma forma?, ¿cuál es?

La última cualidad visual que estudiarás es la **forma**. Como has aprendido en Matemáticas, las formas más simples son estas figuras geométricas: triángulo, círculo y cuadrado, y ellas nos sirven para representar una gran cantidad de cosas que pueden llegar a tener muchas diferencias entre sí.

Cuando veas nubes en el cielo, obsérvalas; son formas libres, se mueven con el viento, son irregulares y cambian constantemente. ¿Qué formas encuentras en ellas?

____

____

Materiales:
Papel grande, del tamaño de lo que mides, pincel y pintura o café soluble.

En los objetos que te rodean también puedes encontrar formas geométricas. Por ejemplo, una ventana frente a ti tiene forma de rectángulo y la plaza del pueblo puede ser un cuadrado.

- Formen equipos. Peguen en la pared el papel que trajeron. En un equipo, uno de los compañeros se recargará en el papel y otro marcará el contorno de su cuerpo con un lápiz.
- Los otros equipos dibujarán los contornos de diferentes objetos.
- Si trajiste café soluble, agrégale sólo unas gotas de agua para que sirva como pintura.
- Empleando las pinturas o el café, marca con el pincel las figuras geométricas que encuentres dentro de las siluetas que dibujaste.

Un dato interesante
Paul Klee (Suiza, 1879-1940) fue un artista que a los siete años comenzó a estudiar violín, y a los 11 años ya tocaba en la orquesta de Berna, Suiza. Sin embargo, poco después se dio cuenta de que su pasión era la pintura. En sus obras, a través de colores, nos habla de poesía, de sueños y de música.

Para la próxima clase...
Necesitarás un reproductor de sonido y música instrumental para todo el grupo.

- En casa, dibuja uno o varios objetos como lo hiciste antes y píntalos como quieras; mezcla los colores previamente; ya sabes cómo. Las formas pueden ser libres o geométricas.

Observar con atención te permite identificar las formas, los colores, las texturas y los tamaños de lo que te rodea. Si aprendes a mirar encontrarás siempre cosas nuevas e interesantes.

110 cm

Carlos Mérida, *El verano* (1981), óleo sobre tela, 90 x 70 cm.

Lección 21 El cuerpo mágico

Aquí aprenderás a expresar con el cuerpo tus ideas sobre tu entorno natural y social.

Lo que conozco

¿Cómo cuentas una historia sin usar palabras?

Con tu cuerpo puedes hacer magia al crear situaciones y ambientes en un espacio cotidiano; por ejemplo, tu salón puede transformarse en un bosque, tu cuerpo puede ser un animal o una planta. Sólo necesitas tu imaginación.

En tu libro de Exploración de la Naturaleza y la Sociedad investigaste sobre la historia del lugar en donde vives, los tipos de animales y plantas que habitan en ciertos lugares como en las montañas y los lagos, entre otros. ¿Recuerdas las diferencias entre el campo y la ciudad?

- Divídanse en equipos y escojan el tema que más les haya interesado de su libro de Exploración de la Naturaleza

Materiales:
Un reproductor de sonido y música instrumental para todo el grupo.

y la Sociedad. En una hoja blanca anoten todo lo que piensen sobre ese asunto.
- Inventen una breve historia sobre el tema escogido y represéntenla bailando. Utilicen los elementos que ya han aprendido en danza, como los puntos de apoyo, los giros, las maromas y rodadas que hicieron anteriormente.

- ¿Podrías representar algún animal haciendo una maroma o una rodada por el piso? ¿Cómo podrías convertirte en una planta utilizando los puntos de apoyo de tu cuerpo?

¿Qué pasaría si llueve y hace mucho viento en el lugar que elegiste? ¿Cómo cambiaría esto la energía de tu cuerpo? ¿Tendrías que moverte rápido o lento?

Incorporen la música que trajeron de casa y presenten sus historias ante sus compañeros. ¿Lograron adivinar de qué trataban? ¿Qué hicieron para contarlas sin palabras?

Poco a poco te darás cuenta de que las experiencias que has tenido en danza te ayudarán a tener más herramientas para jugar con tu imaginación y expresar ideas con tu cuerpo.

Consulta en:
Si quieres saber más sobre cómo contar una historia con los movimientos del cuerpo busca esta página:
http://a.gob.mx/#/actividades
Haz click en "Imagina que nace una tortuga y baila".

Lección 22 Sonidos escondidos

Aquí aprenderás a inventar un paisaje sonoro con tu cuerpo, tu voz y con objetos.

Lo que conozco

¿Cómo crearías un paisaje utilizando únicamente sonidos?

Si pones atención, en todas partes puedes encontrar sonidos: en los bosques, las selvas, las ciudades, los pueblos y hasta en los desiertos. También hay mucho que oír en una tormenta o cuando un volcán entra en erupción.

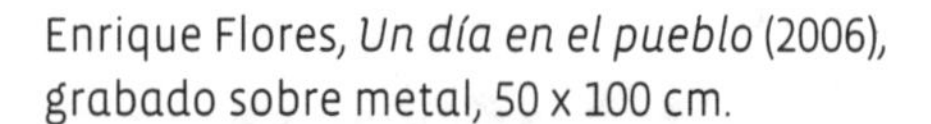

Enrique Flores, *Un día en el pueblo* (2006), grabado sobre metal, 50 x 100 cm.

- Escucha atentamente. Primero pon atención en los sonidos que están más cerca de ti y, poco a poco, escucha los que están más lejos, y más lejos, y más... hasta que casi no alcances a oír. ¿Qué paisaje imaginas con esos sonidos? Dibújalo.

- Elige un paisaje y piensa en todo lo que produce sonidos dentro de él. Como ya lo has hecho antes, escribe aquí trazos o dibujos para representar cada uno de los sonidos de tu paisaje.

- Toca tu composición ante tus compañeros para ver si ellos pueden adivinar el paisaje que imaginaste. Puedes utilizar instrumentos o tu voz.

Los compositores imaginan música y luego la escriben en papel para que otros la puedan tocar. Gracias a la escritura musical podemos seguir escuchando piezas que se hicieron hace mucho tiempo.

Consulta en:
Para jugar con un paisaje sonoro busca el apartado "mapa sonoro" en la página: http://www.a.gob.mx/#/actividades.

Lección 23 ¿Quién es quién?

En esta lección aprenderás a representar un personaje utilizando la expresión corporal y los sentimientos.

Lo que conozco:
¿Cómo inventas un personaje para utilizarlo en un juego?

En el teatro es importante que la interpretación de los personajes se apegue lo más posible al tema de la obra que se esté montando; por eso, antes de comenzar, deben ser descritos lo mejor que se pueda, y deben estudiarse todos los elementos y características de cada uno de ellos. Así el público podrá observar un personaje que le resulte creíble.

Los juegos teatrales nos ayudan a aprender y a manejar el lenguaje del teatro; existen muchos juegos y diferentes técnicas, pero todos sirven para llevar la actuación que se necesita en la obra a un buen resultado.

Éste es el juego:

- En grupo, anoten en el pizarrón o en alguna hoja diez o más personajes dándole a cada uno

Qué plantón, de Guillermo Méndez y Marina del Campo, director: Guillermo Méndez, 2009.

un nombre y una profesión u oficio; por ejemplo: El señor Juan, carpintero.
La señora Lucía, abogada.

- Ahora, sepárense en equipos y elijan dos o tres de esos personajes para cada equipo.
- Cada equipo creará sus personajes. Deben trabajar todas las características físicas, así como la forma de ser del personaje; por ejemplo: el señor Juan es carpintero: "es una persona muy atenta, seria y responsable. Es alto y fuerte, su voz es ronca y siempre hace gestos con la nariz, camina dando pasos muy largos y vive en un lugar donde hace mucho frío".
- Aporten toda la información necesaria para que sus personajes tengan características claras y se puedan representar en el escenario.
- Ahora, decidan quiénes interpretarán frente a sus compañeros a los personajes que crearon.
- En un espacio elegido como escenario pasen los tres o cuatro personajes de cada equipo y representen una pequeña escena.
- Imaginen que por alguna circunstancia cada uno se presenta ante los otros; mantengan una pequeña conversación en la que incluyan palabras, el manejo del cuerpo y los gestos faciales.
- Puede haber circunstancias de encuentro chuscas o cómicas.

Qué plantón, de Guillermo Méndez y Marina del Campo, director: Guillermo Méndez, 2009.

Si, por ejemplo, los personajes van en un autobús y éste se descompone en la carretera, se bajan y comienzan a platicar. Es posible que haga calor, que tengan hambre o prisa por llegar.

- Recuerden agregar los sentimientos que se presentan ante circunstancias inesperadas; de modo que cada personaje se comporte de acuerdo con las características que preparó el equipo. ¡Se reirán mucho en este juego!

Una vez que todos hayan terminado, reflexionen y comenten:

¿Les gustó realizar esta actividad?, ¿por qué? ¿Qué fue lo que les pareció más difícil? Cuando representan un personaje, ¿ustedes sienten que son como esa otra persona? ¿Qué otros personajes les gustaría estudiar?, ¿por qué?

En el teatro es muy importante la observación y una información lo más completa posible acerca de las personas y sus características para lograr la mejor creación posible de cualquier personaje.

La próxima vez que al jugar quieras inventar un personaje ya sabrás cómo hacerlo. Practica en tu casa y con tus amigos.

Para la próxima clase...
Necesitarás cajas de cartón de diferentes tamaños, pinturas vinílicas, colores y objetos del "Baúl del arte".

Integro lo aprendido

¿Sabes cómo son las estrellas, nuestro planeta y otros cuerpos celestes? Imagina por un momento que vives en... ¡un planeta cuadrado!, y que todas las cosas y los seres que hay en él también son cuadrados.

¿Consideras que si los instrumentos musicales tuvieran esa forma sonarían diferente?

- Acomoden el mobiliario y dejen un espacio para realizar una obra de teatro breve.
- Utilicen sus cajas de cartón para crear un ambiente: pueden transformarlas en casas, puentes, árboles y todo lo que se les ocurra. Recuerden que viven en un planeta cuadrado. Pinten algunos detalles .
- Cuando tengan lista su escenografía formen equipos.
- Un equipo representará cómo sería la vida en ese lugar. ¿Cómo moverían su cuerpo? ¿Cómo se moverían los animales? Ahora inténtenlo.
- Otro de los equipos realizará los sonidos. ¿Cómo chiflarías si tu boca fuera cuadrada? Utiliza objetos del "Baúl del arte" para representar los sonidos que se podrían escuchar en el planeta.
- Al finalizar comenten entre todos cómo se imaginan que verían con los ojos cuadrados.

Materiales:
Cajas de cartón de diferentes tamaños, pinturas vinílicas, colores y objetos del "Baúl del arte".

Para la próxima clase...
Necesitarás muchas cartulinas, tijeras, pinturas acrílicas, pinceles y objetos del "Baúl del arte" que puedan producir sonidos.

Leopold Survage,
Hombre en la ciudad verde (principios del siglo XX), óleo sobre tela, 138 x 98 cm.

La imaginación no tiene límites, sirve para generar nuevas ideas y abrir posibilidades.

Autoevaluación

Es tiempo de que revises lo que has aprendido después de trabajar en este bloque. Lee cada enunciado y marca con una palomita (✔) el nivel que hayas logrado alcanzar.

Con mis lecciones de Educación Artística logré:

En mis juegos utilizo:

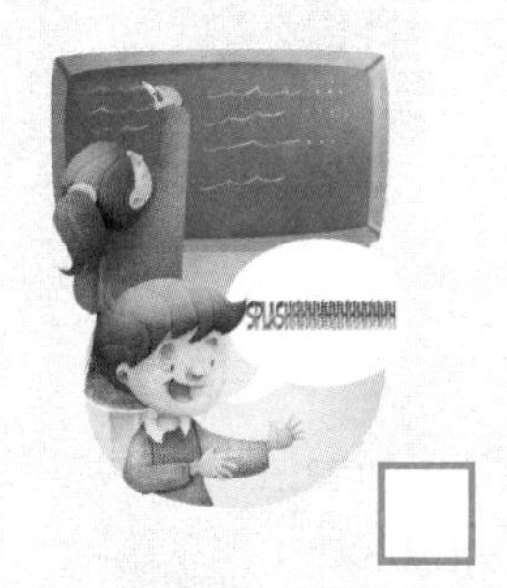

Lo que aprendí en Educación Artística lo utilicé en otras asignaturas como:

¿Qué me gustaría mejorar en mis clases de Educación Artística?

____

____

____

____

____

Proyecto de ensamble

El ciclo escolar se acerca a su fin. A lo largo de todo un año han aprendido, jugado, experimentado y creado desde el mundo de las artes visuales, la danza, la música y el teatro. Ahora es importante realizar un proyecto de ensamble, en el cual retomen varios de los aprendizajes que adquirieron durante el año. Pensar en este proyecto será un acto creativo, lo mismo que dibujar o leer.

Materiales:
Cartulinas,
tijeras, pinturas acrílicas,
pinceles y objetos del
"Baúl del arte" que
puedan producir sonidos.

¿Es posible realizar una actividad en la que integres lo que aprendiste durante el año en Educación Artística?

- Platiquen entre ustedes y su maestro ideas acerca de lo que les gustaría realizar para este final de ciclo escolar. Tal vez pueden convertir el salón en un museo con las obras que realizaron a lo largo del año; utilicen los objetos del "Baúl del arte" y el mobiliario.

El día de la inauguración pueden cantar haciendo ritmos con sus palmas, actuar o hacer movimientos corporales. Recuerden invitar a su comunidad a presenciar su actuación.

Anoten en el pizarrón sus ideas y, cuando hayan elegido una, organicen ensayos para prepararla durante toda la semana.

Pueden organizarse a la hora del recreo o de la salida. Tomen ideas de obras de teatro o danza a las que hayan asistido.

Lo más importante de esta etapa final es que determinen lo que más les gustó del año escolar en Educación Artística y se atrevan a llevar sus ideas o pensamientos artísticos a la realidad. Utilicen la siguiente tabla para organizarse:

Nombre del proyecto:	
Autor:	
Fecha:	
Lugar:	
Equipos participantes:	
• Danza:	
• Artes visuales:	
• Música:	
• Teatro:	

Preparen una invitación para sus familiares y amigos. Recuerden que debe incluir datos importantes como la fecha, el lugar y la hora en que se realizará su actividad.

Divertimento en colores, compañía César Piña, 2008.

En la actualidad muchos pintores, bailarines, actores y músicos se reúnen y aportan sus conocimientos para realizar una obra artística en la que se combinan diferentes lenguajes artísticos.

Bibliografía

Aguilar, Nora, *Improvisation*, Pittsburgh, University of Pittsburgh Press, 1988.

Anholt, Laurence, *Camille y los girasoles*, Barcelona, Serres, 1995.

________, *Degas y la pequeña bailarina*, Barcelona, Serres, 1996.

Ball, Philip, *La invención del color*, México, Fondo de Cultura Económica, 2004.

Blom, Lynne Anne y L. Tarin Chaplin, *The moment of movement. Dance improvisation*, Pittsburgh, University of Pittsburgh Press, 1988.

Cañas, José, *Didáctica de la expresión dramática: una aproximación a la dinámica teatral en el aula*, Barcelona, Octaedro, 1992

Casado, Jesús y Rafael Portillo, *Abecedario del teatro*, Sevilla, Centro de Documentación de las Artes Escénicas de Andalucía, 1992.

Cervera Borrás, Juan. *Historia critica del teatro infantil español*, Madrid, Editora Nacional, 1982.

Dallal, Alberto, *Cómo acercarse a la danza*, México, SEP-Plaza y Valdés-Gobierno del Estado de Querétaro, 1988.

________, *La danza contra la muerte*, México, UNAM, 1979.

Dondis, Donis, *La sintaxis de la imagen*, Barcelona, Gustavo Gili, 1976.

García Moncada, Francisco, *Teoría de la música*, México, Ricordi, 1995.

Gardner, Howard, *Educación artística y desarrollo humano*, Madrid, Paidós, 1994.

Grotowski, Jerzy, *Hacia un teatro pobre*, Buenos Aires, Siglo XXI Editores, 1981.

Holm, Annika, *Anton y los dragones*, Barcelona, Serres, 2001.

Instituto Cubano del Libro, *Para hacer teatro*, Caracas, El Perro y la Rana, 2006.

Kandinsky, Wassily, *Punto y línea sobre el plano*, México, Colofón, 2007.

Kidd, Richard, *Daisy quiere ser famosa*, Barcelona, Serres, 2001.

Llovet, Jordi, *Ideología y metodología del diseño*, Barcelona, Gustavo Gilli, 1981.

Materiales y Métodos Educativos de la Subsecretaría de Educación Básica y Normal, *Libro para el maestro. Educación Artística. Primaria*, 2a. ed., México, SEP, 2001.

Moncada García, Francisco, *Teoría de la música*, México, Ricordi, 1995.

Motos Teruel, Tomás, *Práctica de la expresión corporal*, Madrid, Ñaque Editora, 2006.

Oliveto, Mercedes y Dalia Zylberberg, *Movimiento, juego y comunicación. Perspectivas de expresión corporal para niños*, Buenos Aires, Noveduc, 2005.

Pescetti, Luis María, *Taller de animación musical y juegos*, Buenos Aires, Editorial Guadalupe, 1994.

Portillo Casado, Jesús, *Abecedario del teatro*, Sevilla, Centro de Documentación de las Artes Escénicas de Andalucía, 1992.

Renoult, Noëlle, *Dramatización infantil: expresarse a través del teatro*, Madrid, Narcea, 1994.

Rodríguez, Félix y Rosario García, *Rítmica aplicada a la danza folklórica. Método de entrenamiento rítmico para bailarines*, México, Fonca, 2001.

Schiller, Friedrich, *Kallias. Cartas sobre la educación estética del hombre*, Barcelona, Anthropos, 2005.

Talens, Jenaro *et al.*, *Elementos para una semiótica del texto artístico. Poesía, narrativa, teatro, cine*, Madrid, Cátedra, 1978.

Vallon, Claude, *Práctica del teatro para niños*, Barcelona, Ceac, 1981.

Vygotski, Lev Semenovich, *La imaginación y el arte en la infancia*, Madrid, Akal, 1998.

Créditos iconográficos

Para la elaboración de este libro se utilizaron fotografías de las siguientes instituciones y personas:

p. 5: Violín © Other Images; **p. 15:** *Fray Jerónimo lo rasgó, Fray Pablo de Jesús lo pintó*, Bernardo de Gálvez, Conde de Gálvez (1796), óleo sobre tela, 205 x 200 cm, Museo Nacional de Historia. INAH. Conaculta-INAH-México, reproducción autorizada por el Instituto Nacional de Antropología e Historia; **p. 23:** contrabajo © Other Images; **p. 31:** Ciro Ferri (1634-1689), *La Magdalena y los ángeles (ca.* 1660), reproducción táctil de Gerardo Lenin (2010), 93.5 x 90.5 cm, Archivo Fotográfico del Museo Nacional de San Carlos, fotografía de Gabriela Chávez; **p. 33:** Herminia Pavón (1937), *Juegos infantiles* (2009), acuarela, 35 x 56 cm; **p. 38:** colores pastel y hojas de árbol © Other Images; **p. 42:** escalera de aluminio y triciclo © Other Images; canasta con fresas y pelota de playa © Photo Stock; **p. 43:** Nahúm B. Zenil (1947), *Yo soy mi casa. Tú eres mi casa* (1996), arte objeto, 174 x 110 x 90 cm; **pp. 44 y 45:** escuela artística de la provincia de Sichuan, China (2004), Festival Internacional Cervantino, Conjunto de Artes Escénicas de China, fotografías de Bernardo Cid Nieto; **p. 47:** danzas folclóricas de Rajasthán, India (2008), compañía Living Arts, Festival Internacional Cervantino, Guanajuato, fotografía de Bernardo Cid Nieto; **p. 50:** Alfonso Michel (1897-1957), *Muchacho alegre* (1952), óleo sobre tela, 145 x 110 cm, Colección Andrés Blaisten, México; **p. 52:** niños jugando en las calles de Cambodia © Other Images; **p. 58:** modelo de madera, Archivo Iconográfico DGME/SEP (2011), fotografía de Magali Gallegos Vázquez y Abraham Menes Núñez; **p. 59:** posiciones y posturas con modelo de madera, Archivo Iconográfico DGME/SEP (2011), fotografías de Magali Gallegos Vázquez y Abraham Menes Núñez; (ab.) Ballet Folklórico de Amalia Hernández (2000), programa especial para el 29 Festival Internacional Cervantino, fotografía de Daniel González Moreno; **p. 61:** *La levedad de las lenguas* (2005), compañía Humanicorp Teatro Danza Aérea, coreografía Miriñaque, fotografía de Christa Cowrie; **p. 63:** Luis Alberto Ruiz (1971), *Tren suburbano* (2007), acuarela, 120 x 80 cm; **p. 64:** *Willy Protágoras encerrado en el baño,* compañía Tapioca Inn (2008), fotografía de Salvador Perches Galván; **p. 73:** Carlos Mérida (1879-1968), *El verano* (1981), óleo sobre tela, 90 x 70 cm © Photo Stock; **p. 76:** Enrique Flores (1963), *Un día en el pueblo* (2006), grabado sobre metal, 50 x 100 cm; **pp. 78 y 79:** *Qué plantón,* de Guillermo Méndez y Marina del Campo, director: Guillermo Méndez, Centro Cultural Telmex (2009), Archivo INBA-CITRU, fotografías de Christa Cowrie; **p. 80:** antifaz, zapatillas de ballet, tela y diadema © Other Images; **p. 84:** Leopold Survage (1879-1968), *Hombre en la ciudad verde* (principios del siglo XX), óleo sobre tela, 138 x 98 cm © Photo Stock; **p. 90:** *Divertimento en colores* (2008), compañía César Piña, fotografía de Daniel González Moreno.

Educación Artística. Segundo grado
se imprimió por encargo de la Comisión Nacional de Libros de Texto Gratuitos,
en los talleres de Cartolito, S. A. de C.V., con domicilio en Palos Altos No. 130,
Col. Urdiales, C.P. 64430, Monterrey, N.L., en el mes de abril de 2011.
El tiro fue de 2'898,900 ejemplares.

Impreso en papel reciclado

¿Qué opinas de tu libro?

Tu opinión es importante para mejorar este libro de *Educación Artística, segundo grado*. Marca con una ✓ las respuestas que expresen tu opinión.

1 ¿Te gustó tu libro?

- Siempre
- Casi siempre
- A veces

2 ¿Te gustaron las imágenes?

- Siempre
- Casi siempre
- A veces

3 ¿Las imágenes te ayudaron a entender las actividades?

- Siempre
- Casi siempre
- A veces

4 ¿Te fue fácil conseguir los materiales?

- Siempre
- Casi siempre
- A veces

5 ¿Las instrucciones de las actividades fueron claras?

- Siempre
- Casi siempre
- A veces

6 ¿El "Baúl del arte" fue un elemento de apoyo para realizar las actividades?

- Siempre
- Casi siempre
- A veces

Las actividades te ayudaron a:

- Expresar tu creatividad
- Trabajar en equipo
- Hacer las cosas por ti mismo

Si tienes sugerencias para el libro, escríbelas a continuación:

___

___

¡Gracias por tu participación!

Dirección General de Materiales Educativos
Dirección de Desarrollo e Innovación de Materiales Educativos

Viaducto Río de la Piedad 507, cuarto piso,
Granjas México, Iztacalco,
08400, México, D. F.

Datos generales

Entidad: ______________________________

Escuela: ______________________________

Turno: Matutino Vespertino Escuela de tiempo completo

Nombre del alumno: ______________________________

Domicilio del alumno: ______________________________

____

Grado: ______________________________

Formación Cívica y Ética

Cuarto grado

Esta edición de *Formación Cívica y Ética. Cuarto grado* fue desarrollada por la Dirección General de Materiales Educativos (DGME) de la Subsecretaría de Educación Básica, Secretaría de Educación Pública.

Secretaría de Educación Pública
Alonso Lujambio Irazábal

Subsecretaría de Educación Básica
José Fernando González Sánchez

Dirección General de Materiales Educativos
María Edith Bernáldez Reyes

Coordinación técnico-pedagógica
Dirección de Desarrollo e Innovación de Materiales Educativos, DGME/SEP
María Cristina Martínez Mercado, Ana Lilia Romero Vázquez

Coordinación académica
Universidad Nacional Autónoma de México:
Lilian Álvarez Arellano

Autores
Universidad Nacional Autónoma de México:
Lilian Álvarez Arellano, Patricia Ávila Díaz, Bulmaro Reyes Coria
Universidad Pedagógica Nacional: Valentina Cantón Arjona Adriana Corona Vargas
Escuela Normal Superior de México:
María Esther Juárez Herrera
Universidad del Valle del México: Norma Romero Irene

Asesoría
Instituto de Investigaciones Filológicas/UNAM:
Rubén Bonifaz Nuño

Corrección de estilo
Instituto de Investigaciones Filológicas, UNAM:
Jesús Gómez Morán

Revisión pedagógica
Ana Hilda Sánchez Díaz, Leticia Araceli Martínez Zárate, Ana Cecilia Durán Pacheco, Ángela Quiroga Quiroga

Coordinación editorial
Dirección Editorial, DGME/SEP
Elena Ortiz Hernán Pupareli, Alejandro Portilla de Buen, Rosa María Oliver Villanueva, Isabel Galindo Carrillo

Investigación iconográfica
Claudia C. Lasso Jiménez, Laura Raquel Montero Segura, Irene León Coxtinica

Portada
Diseño de colección: Carlos Palleiro
Ilustración de portada: Ericka Martínez

Primera edición, 2008
Tercera edición, 2010
Primera reimpresión, 2011 (ciclo escolar 2011-2012)

ISBN: 978-607-469-400-0

Impreso en México
Distribución gratuita-Prohibida su venta

Servicios editoriales
Stega Diseño, S.C.

Diseño gráfico
Moisés Fierro Campos, Juan Antonio García Trejo, Paola Stephens Díaz

Ilustraciones
Ángel Campos (pp. 8-9, 28-29, 52-53, 76-77, 102-103), Julián Cicero Olivares (pp. 44-45), Juan A. García (p. 37), Arturo Ramírez (pp. 20-21, 26, 41, 42-43, 46-47, 50, 68-69, 72-73, 94-95, 116-117), Pablo Rulfo (p. 16). *Idea original de las ilustraciones*: Alex Echeverría (pp. 20 y 21).

Apoyo institucional
Centro de Investigación para el Desarrollo, A.C.; El Colegio de México; Comisión de Derechos Humanos del Distrito Federal; Comisión Nacional del Deporte; Comisión Nacional para el Desarrollo de los Pueblos Indígenas; Comisión Nacional para Prevenir la Discriminación; Confederación de Cámaras Industriales, Comisión de Educación; Congreso de la Unión, Cámara de Diputados, Comisión de Educación Pública y Servicios Educativos; Ejército y Fuerza Aérea; Universidad del Ejército y Fuerza Aérea; Fundación Ahora, A. C.; Iniciativa Ciudadana para el Diálogo Democrático; Instituto Electoral del Distrito Federal; Instituto Federal de Acceso a la Información; Instituto Federal Electoral, Dirección Ejecutiva de Capacitación Electoral y Educación Cívica; Instituto Mexicano de la Juventud; Instituto Nacional de Antropología e Historia, Dirección de Museos y Laboratorio de Geofísica; Instituto Nacional del Derecho de Autor; Instituto Nacional de las Mujeres; Instituto Nacional de Lenguas Indígenas; Mexicanos Primero; México Unido contra la Delincuencia; Navega Protegido en Internet; Secretaría de Educación Pública, Coordinación General de Educación Intercultural Bilingüe, Dirección de Relaciones Internacionales, Escuela Segura y Unidad de Planeación y Evaluación de Políticas Educativas; Secretaría del Medio Ambiente y Recursos Naturales, Centro de Educación y Capacitación para el Desarrollo Sustentable; Servicios a la Juventud, A. C.; Sistema Nacional para el Desarrollo Integral de la Familia, Dirección General de Enlace Interinstitucional; Suprema Corte de Justicia de la Nación; Universidad Nacional Autónoma de México, Instituto de Investigaciones Filológicas, Instituto de Investigaciones Jurídicas; Secretaría de Gobernación, Dirección General de Cultura y Formación Cívica, Dirección General de Protección Civil; Secretaría de Marina, Dirección General Adjunta de Educación Naval; Secretaría de Relaciones Exteriores, Archivo Histórico; Secretaría de Salud, Subsecretaría de Prevención y Promoción de la Salud; Secretaría del Trabajo y Previsión Social; Transparencia Mexicana; Fondo de las Naciones Unidas para la Infancia (UNICEF). Los conceptos jurídicos y de formación ciudadana se elaboraron en conjunción con el Instituto Federal Electoral y el Instituto de Investigaciones Jurídicas de la Universidad Nacional Autónoma de México; los relacionados con el cuidado de la salud y el desarrollo, con la Secretaría de Salud. El Centro de Educación y Capacitación para el Desarrollo Sustentable brindó las definiciones de su campo. El Instituto Federal Electoral desarrolló los contenidos de participación ciudadana y la glosa de la Constitución Política de los Estados Unidos Mexicanos.

Participaron los siguientes ciudadanos: Isidro Cisneros, Germán Dehesa, Enrique Krauze (El Colegio Nacional), Cecilia Loría Saviñón, Armando Manzanero, Eduardo Matos Moctezuma (El Colegio Nacional), Mario José Molina Henríquez (El Colegio Nacional), Carlos Monsiváis y Adolfo Sánchez Vázquez.

Agradecimientos
La SEP extiende un especial agradecimiento a la Universidad Pedagógica Nacional (UPN), por su participación en el desarrollo de esta edición.

Se agradece la atenta lectura de más de once mil maestras, maestros y autoridades educativas y sindicales, quienes participaron en las jornadas de exploración de material educativo de todo el país, y expresaron sus puntos de vista en la página web armada para ello. Asimismo, las revisiones y comentarios del Instituto Federal Electoral, de los miembros del Consejo Consultivo Interinstitucional para la Educación Básica y el constituido para revisar el diseño curricular del Programa Integral de Formación Cívica y Ética, así como la revisión de El Colegio de México.

Presentación

La Secretaría de Educación Pública, en el marco de la Reforma Integral de la Educación Básica, plantea una propuesta integrada de libros de texto desde un nuevo enfoque que hace énfasis en la participación de los alumnos para el desarrollo de las competencias básicas para la vida y el trabajo. Este enfoque incorpora como apoyo Tecnologías de la Información y Comunicación (TIC), materiales y equipamientos audiovisuales e informáticos que, junto con las bibliotecas de aula y escolares, enriquecen el conocimiento en las escuelas mexicanas.

Después de varias etapas, en este ciclo se consolida la Reforma en los seis grados y, en consecuencia, se presenta esta propuesta completa de los nuevos libros de texto, que abarca la totalidad de las asignaturas en todos los grados.

Este libro de texto incluye estrategias innovadoras para el trabajo escolar, demandando competencias docentes orientadas al aprovechamiento de distintas fuentes de información, el uso intensivo de la tecnología, la comprensión de las herramientas y de los lenguajes que niños y jóvenes utilizan en la sociedad del conocimiento. Al mismo tiempo, se busca que los estudiantes adquieran habilidades para aprender de manera autónoma, y que los padres de familia valoren y acompañen el cambio hacia la escuela mexicana del futuro.

Su elaboración es el resultado de una serie de acciones de colaboración, como la Alianza por la Calidad de la Educación, así como con múltiples actores entre los que destacan asociaciones de padres de familia, investigadores del campo de la educación, organismos evaluadores, maestros y expertos en diversas disciplinas. Todos han nutrido el contenido del libro desde distintas plataformas y a través de su experiencia. A ellos, la Secretaría de Educación Pública les extiende un sentido agradecimiento por el compromiso demostrado con cada niño residente en el territorio nacional y con aquellos que se encuentran fuera de él.

Secretaría de Educación Pública

Índice

Formación Cívica y Ética • Cuarto grado

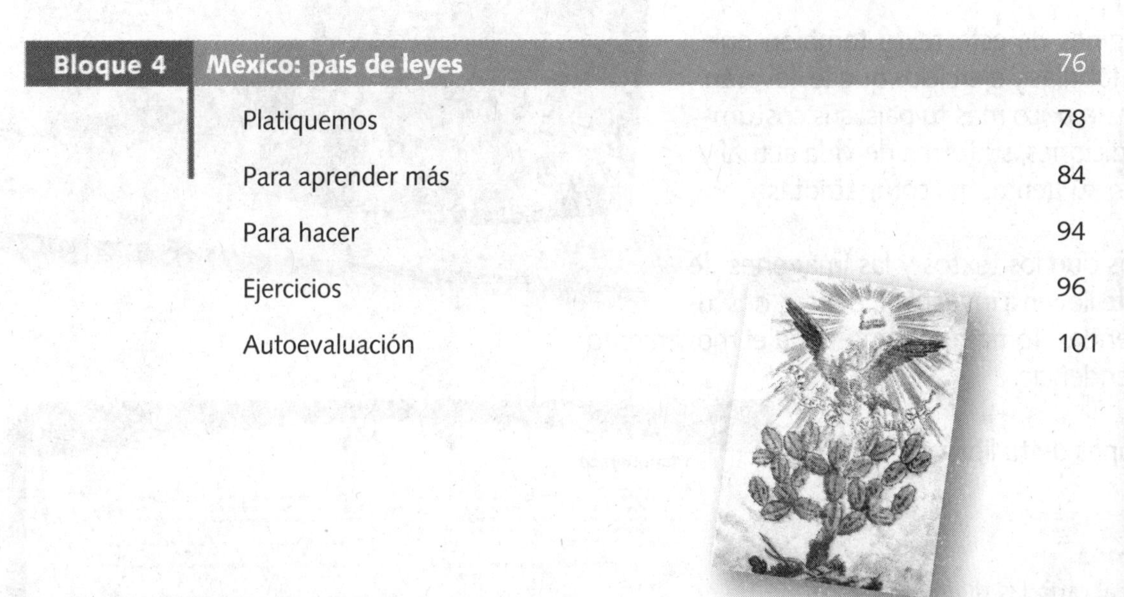

Conoce tu libro

Con tu trabajo en la asignatura de Formación Cívica y Ética podrás aprender respecto a tu persona, tus emociones, sentimientos y cambios físicos. Estarás en mejor disposición de comprender a tus familiares, amigos y vecinos para hacer de tu vida diaria una vida feliz y pacífica.

Este libro de texto de Formación Cívica y Ética fue escrito para ti con mucho cariño y profesionalismo. Contiene información confiable para que tú y tus maestros se sirvan de ella en el trabajo cotidiano del aula. Cada una de las secciones aborda contenidos para el logro paulatino de las competencias planteadas en el programa de la asignatura.

En las páginas de este texto también encontrarás fábulas y ejercicios que te llevarán a conocer un poco más tu país, sus costumbres y tradiciones, su forma de vida actual y sobre todo su gente, tus compatriotas.

Esperamos que los textos y las imágenes de este libro te lleven a investigar, pensar, descubrir y aprender. Tomamos como tema el movimiento de Independencia.

Las secciones de tu libro son:

Portada del bloque
Te presenta el nombre de cada bloque y lo que aprenderás.

Platiquemos
Texto que aborda las diferentes temáticas necesarias para que progresivamente domines las competencias del bloque. Lo leerás poco a poco con la ayuda de tu docente, y será la base para diálogos y discusiones en clase.

Platiquemos

Cenefa
Para incitarte a saber más y a relacionar lo que aprendes aquí con otras asignaturas.

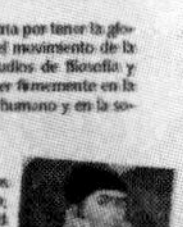

Para aprender más

Son textos breves elaborados por diferentes instituciones y asociaciones civiles como fuentes de información confiable sobre las temáticas que se tratan en el libro.

Para hacer

La intención de esta sección es darte las bases para que lleves a cabo procedimientos y técnicas necesarios para dominar los contenidos de la asignatura.

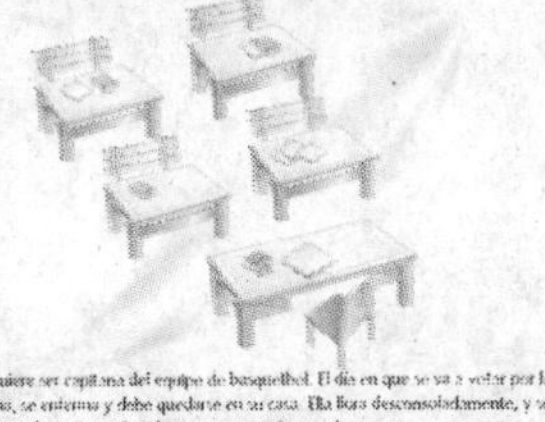

Ejercicios

Son actividades variadas para pensar y reflexionar en torno a los contenidos que se ven en la asignatura, estudiar y reforzar lo que aprendes.

Autoevaluación

Te sirve para conocer cómo vas a lo largo del bimestre. Es importante para tomar decisiones respecto de tu formación cívica y ética.

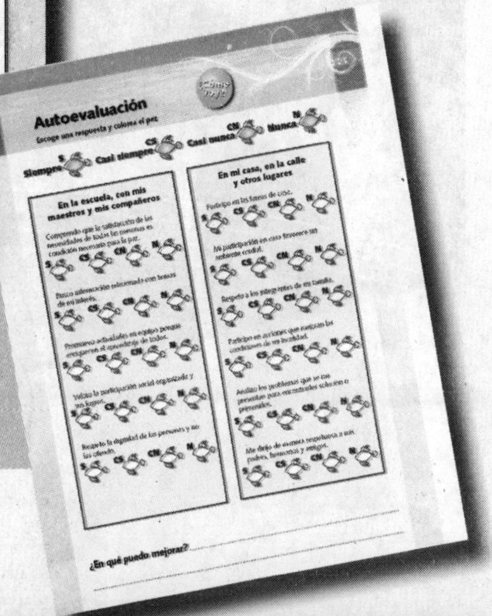

Bloque 1

Niños y niñas cuidan de su salud e integridad personal

Con el aprendizaje y la práctica podrás:

- Reconocer los cambios de tu cuerpo y de tu modo de pensar.
- Aprender a conocerte y cuidarte.
- Distinguir las diferencias y semejanzas físicas, culturales, sociales y económicas de quienes te rodean.
- Apreciar y respetar las cualidades y capacidades de los demás.

Platiquemos

Eres una persona con características propias. Además, estás en constante cambio. Tal vez no te has dado cuenta de los cambios que has tenido en tu cuerpo y en tu mente al desarrollarte. Pero, si piensas en eso, verás que tu cuerpo al crecer ha adquirido destreza y fuerza, y tu mente comprende que se te enseñan nuevos temas.

Al mismo tiempo que tus habilidades, han ido variando tus gustos, intereses y deseos de hacer cosas nuevas; ahora te complace realizar actividades que no te exigen ni tu familia ni tu escuela.

En cuanto a tus amigos, te relacionas con niñas y niños de tu edad con quienes compartes el aula escolar. Tu vida social se va ampliando.

Estás en una edad en la cual todavía dependes en mucho de la protección de los mayores, como son tus parientes y maestros. Sin embargo, te sientes y eres más responsable que antes de asuntos tuyos, de tu familia y de tu localidad.

Campana y cúpula de la iglesia de Dolores Hidalgo

La vida en México durante la Colonia se caracterizó por grandes desigualdades sociales.

Sin embargo, los mexicanos fuimos cobrando conciencia de pertenecer a un pueblo con necesidad de libertad, independencia y soberanía.

También has adquirido mayor confianza en ti porque conoces mejor tus derechos. Este conocimiento te da la facultad de evitar algún abuso que tus compañeros o alguien quiera ejercer contra ti.

Por ejemplo, sabes que es derecho de las niñas y de los niños recibir información para tomar decisiones adecuadas. Por eso al conocer las ventajas y los riesgos del Internet, tomarás las precauciones necesarias para protegerte.

Tu creciente capacidad de expresarte claramente te ayuda a comprender tus sensaciones, sentimientos o emociones.

Las sensaciones son tu respuesta a estímulos elementales. Así, por ejemplo, si te lastimas con un clavo, tienes la sensación de dolor; y de calor, si te expones a los rayos del sol. En cambio, los sentimientos implican la combinación de sensaciones y percepciones diversas.

En 1810 Miguel Hidalgo llamó a los mexicanos a luchar por su libertad.

Por ejemplo, tienes la sensación de bienestar que te proporciona estar junto a tu mamá pero, además, percibes su presencia física, su aspecto, su ternura, la manera como te mira, y tienes una emoción: la del amor hacia ella.

Tus emociones cambian, y es preciso que las conozcas como parte de ti. Son rasgos tuyos.

Al vivir con personas de tu familia, del barrio, de tu escuela así como de tu localidad, has notado que cada una tiene rasgos que la distinguen, y que ha desarrollado diferentes cualidades; es decir, destrezas y virtudes, las cuales muestran en su trabajo y en la vida social.

El trabajo es la base de la vida en sociedad. En tu localidad tratas a personas que saben trabajar en el campo y que lo hacen fructificar; a otras que enseñan de tal modo que hacen que aprendas con facilidad y gusto; a gente que toca algún instrumento musical; a deportistas notables; a marineros que cuentan historias de lugares

En el año de 1811, en Zitácuaro, Ignacio López Rayón organizó la Junta Insurgente, primer gobierno nacional.

En 1812, con la participación de 20 diputados mexicanos, se promulgó la Constitución de Cádiz, la cual estableció la igualdad entre todos los hombres.

lejanos; a soldados valientes que defienden la soberanía nacional; también a personas mayores sabias; a amigos y parientes generosos. En cada una de estas personas puedes encontrar diferentes cualidades valiosas.

En México todas las personas tenemos los mismos derechos, aunque hay entre nosotros similitudes y diferencias. Las diversidades culturales se refieren a las distintas formas de vida de las comunidades, a las costumbres y tradiciones especiales que tenga cada persona.

Los diferentes rasgos culturales que percibes entre la gente con la cual convives o de la cual tienes noticia mediante la lectura o por los medios de comunicación, surgen del ser humano y de su creatividad; pero las diferencias económicas y sociales son, muchas de ellas, resultado de diferencias en las oportunidades para educarse, tener salud, empleo y vivienda.

Una diferencia que divide a la humanidad en dos partes casi iguales es la del sexo. Si hablamos acerca de diferencias biológicas entre hombres y mujeres, nos referimos al sexo; si son diferencias o expectativas culturales, al género.

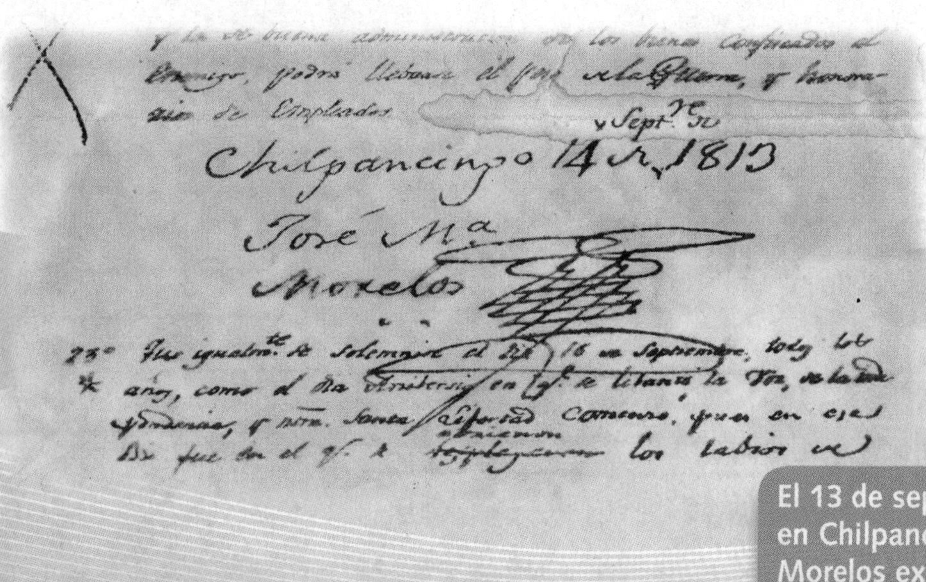

El 13 de septiembre de 1813, en Chilpancingo, José María Morelos expone el texto *Sentimientos de la Nación.*

Las diferencias de género entre niñas y niños varían en cada cultura. Por ejemplo, en algunos países la costura es considerada una actividad masculina; en otras, femenina; y en otras más, es indiferente si son hombres o mujeres quienes la realizan.

Las diferencias culturales entre mujeres y hombres también varían con el tiempo. Por ejemplo, durante el Virreinato en México las mujeres no tenían derecho a estudiar en la universidad. Ahora, más de la mitad de los estudiantes de licenciatura son mujeres.

En la medida en que existan más oportunidades educativas para mujeres y hombres, los papeles sociales y los oficios son ahora desempeñados por unas y otros. Tanto mujeres como hombres estudian y trabajan y, cuando forman pareja y establecen una familia, comparten las tareas domésticas. Esto ha creado mayor equidad en nuestro país. En la actualidad, las leyes de México establecen las mismas libertades para hombres y mujeres.

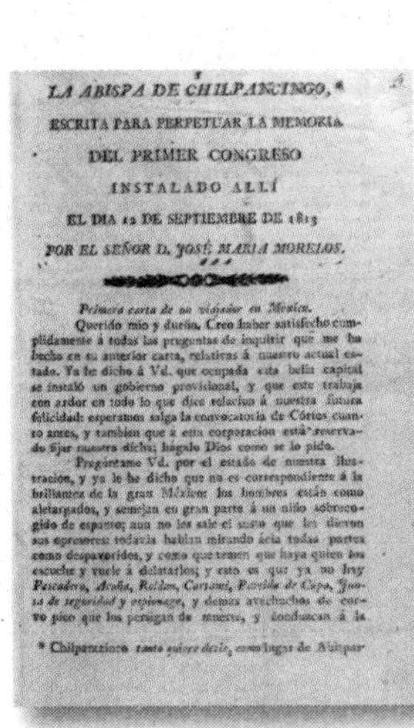

LA ABISPA DE CHILPANCINGO,*
ESCRITA PARA PERPETUAR LA MEMORIA
DEL PRIMER CONGRESO
INSTALADO ALLÍ
EL DIA 12 DE SEPTIEMBRE DE 1813
POR EL SEÑOR D. JOSÉ MARIA MORELOS.

Primera carta de un [illegible] en México.

Querido mio y dueño. Creo haber satisfecho cumplidamente á todas las preguntas de inquirir que me ha hecho en su anterior carta, relativas á nuestro actual estado. Ya le dicho á Vd. que ocupada esta bella capital se instaló un gobierno provisional, y que este trabaja con ardor en todo lo que dice relacion á nuestra futura felicidad: esperamos salga la convocatoria de Córtes cuanto antes, y tambien que á esta corporacion está reservado fijar nuestra dicha; hágalo Dios como se lo pido.

Pregúntame Vd. por el estado de nuestra ilustracion, y ya le he dicho que no es correspondiente á la brillantez de la gran México: los hombres están como aletargados, y semejan en gran parte á un niño sobrecogido de espanto; aun no les sale el susto que les dieron sus opresores: todavia hablan mirando ácia todas partes como despavoridos, y como que temen que haya quien los escuche y vuele á delatarlos; y esto es que ya no hay [illegible] [illegible], Roldan, [illegible], [illegible], Juntas de seguridad y espionage, y demas avechuchos de [illegible] que los persigan de muerte, y conduzcan á la

* Chilpancingo tanto quiere decir, como lugar de [illegible]

Conoces la pobreza de muchos de tus compatriotas, y has visto a numerosas familias trabajar arduamente para superar las condiciones de necesidad que las afligen. Seguramente, has pensado que es primordial ayudarlas.

El 13 de septiembre de 1813 el Congreso de Chilpancingo declaró la independencia de México.

Los seres humanos tenemos enorme potencial: esto quiere decir que, si nos lo proponemos, podemos hacer grandes y excelentes cosas; por ejemplo, aprender, comunicarnos, trabajar; cuidar, transformar y mejorar el mundo; ayudarnos y defendernos unos a otros, conocernos, conocer nuestra historia y vivir en sociedad.

Para que los seres humanos desarrollemos este potencial son esenciales la salud, la seguridad, el estudio y la vida social; también que haya justicia y equidad en la producción y repartición de los bienes, así como apego a la legalidad.

Tu experiencia escolar te demuestra que el trabajo con otros te ayuda a alcanzar metas compartidas. Al conocer y apreciar las cualidades y capacidades de otras personas, descubres y desarrollas las tuyas.

Tal vez, el saber más importante del género humano y de cada persona sea el de conocerse a sí mismo. Así, concluimos que es más, mucho más, lo que nos une que lo que nos separa del resto de las personas.

El 27 de septiembre de 1821, entró triunfal a la capital el Ejército Trigarante, al mando de Agustín de Iturbide. Desde entonces, comenzó a usarse el pabellón tricolor.

El primer presidente de México fue Guadalupe Victoria.

Contrato de código de conducta cuando use Internet

Para protegerme me comprometo a:

1. Hablar con mis padres para conocer las reglas del uso de Internet, que incluyan los sitios a los que puedo ir (lugar__________), lo que puedo hacer, cuándo me puedo conectar (día y hora __________) y cuánto tiempo puedo estar en línea (___minutos).
2. Nunca dar información personal, como mi dirección particular, número de teléfono, dirección o número de teléfono del trabajo de mis padres, números de tarjeta de crédito o el nombre y la ubicación de mi escuela, sin el permiso de mis padres.
3. Hablar inmediatamente con mis padres si veo o recibo algo en Internet que me haga sentir incómodo o amenazado. Esto incluye mensajes de correo electrónico, sitios web o incluso el correo normal de los amigos de Internet.
4. Nunca acordar citas en persona con nadie que haya conocido en línea, sin el permiso de mis padres.
5. Nunca enviar fotografías mías ni de otros familiares a otras personas a través de Internet o el correo ordinario sin el permiso de mis padres.
6. Nunca dar mis contraseñas de Internet salvo a mis padres (ni siquiera a mis mejores amigos).
7. Tener buen comportamiento en línea y no hacer nada que pueda molestar o hacer enfadar a otras personas, o que sea ilegal.
8. Nunca descargar, instalar o copiar nada de discos o de Internet sin el permiso correspondiente.
9. Nunca hacer algo en Internet que cueste dinero, sin el permiso de mis padres.
10. Dejar que mis padres sepan mi nombre de inicio de sesión en Internet y los nombres de chat.

Mi nombre y mi firma__________

Fecha __________

Firma de mis padres o tutores __________

Cuida tus dientes

Tus dientes son el pulcro y nimio litoral
por donde acompasadas navegan las sonrisas,
graduándose en los tumbos de un parco festival.

Ramón López Velarde
Tus dientes
(fragmento)

Mano con mano

¿Tienes algún amigo o amiga, vecino o vecina, compañero o compañera de escuela que padezca alguna discapacidad?

Te habrás dado cuenta de que todos ellos requieren de atención especial para salir adelante: necesitan, por ejemplo, sillas de ruedas, terapias de rehabilitación o educación especializada. Son iguales a ti en dignidad, valen lo mismo que tú y cualquier otra persona, pero necesitan apoyo extra de la sociedad, de su familia, de sus maestros y compañeros de escuela para salir adelante. Gracias a ese impulso, la mayoría de ellos logra ser autosuficiente, termina sus estudios, se incorpora a la vida laboral y tiene participación en los mundos de la cultura, la política y la empresa.

Sistema Nacional DIF

Escuela segura

La escuela es uno de los lugares donde creces y aprendes, y donde numerosas personas mayores cuidan de ti. Por ello, la escuela es para ti un lugar seguro. Sin embargo, también ahí es conveniente que tomes, junto con tus maestros, medidas preventivas para tu seguridad. ¿Tienes ya identificados los posibles riesgos?

Al ir a la escuela y regresar a casa considera lo siguiente:

- Junto con tu familia, define algunas rutas seguras por donde puedas ir a la escuela y regresar a tu casa.
- Si te llevan a la escuela, toma de la mano a quien te acompañe, y camina por las banquetas o por donde no circulen autos.
- Si utilizas transporte público, antes de abordarlo verifica que sea el que te llevará a tu destino.
- No aceptes "aventones".
- No te desvíes del camino a casa o a la escuela. Si tienes que ir a otro lugar, avisa a un familiar y a uno de tus maestros para que sepan dónde pueden encontrarte.
- Cuando en tu ruta de traslado suceda algo que te inquiete, busca a una persona o a un policía que pueda ayudarte. Pide que localice a tu familia e infórmale lo que pasa.

Y para evitar la influenza:

- No asistas a la escuela si estás enfermo.
- Estornuda en pañuelos desechables.
- Lava tus manos y tu ropa frecuentemente.
- No acudir a lugares concurridos.

¿Quién trabaja para promover tu salud?

Para cuidar la salud se requiere de la labor de médicos, enfermeros, camilleros, especialistas de las diversas ramas de la medicina, investigadores, instrumentistas, laboratoristas, mecánicos, administradores de instituciones hospitalarias, personal de limpieza, nutriólogos, cocineros, biotecnólogos, rehabilitadores... ¡un verdadero equipo profesional!

Educación para todos y para todas

En nuestro país se fundaron escuelas para ciegos y para sordomudos desde el siglo XIX, como una manera de garantizar la educación para todos y construir una verdadera democracia. En 1867, se formó una Escuela Normal; es decir, una escuela que forma maestros para personas con problemas de audición y de habla.

Es muy importante que los niños con alguna discapacidad vayan a la escuela y obtengan educación con otros de su edad. El compañerismo y la solidaridad que tú, tus compañeros y maestros individualmente y en grupo muestren a quienes presenten alguna dificultad serán en beneficio de todos. Es derecho de todos los niños asistir a la escuela y aprender.

Muévete, muévete, muévete... haz deporte

La Comisión Nacional de Cultura Física y Deporte (CONADE) es el organismo encargado de fomentar y promover la cultura física, la recreación y el deporte en nuestro país para que los mexicanos podamos:

- Hacer ejercicio todos los días.
- Ocupar positivamente nuestro tiempo libre.
- Practicar habitualmente un deporte.

Al promover la cultura física y el deporte, se contribuye a que en nuestra sociedad:

- Se eleve nuestra calidad de vida.
- Seamos más competitivos.
- Aprendamos a trabajar en equipo.
- Se formen deportistas de excelencia.

¿Cómo pasas tu tiempo libre? ¿Cuánto le dedicas a la cultura física, la recreación y el deporte? ¿Te interesaría dedicarte profesionalmente al deporte? Coméntalo con algún miembro de tu familia para que acudan al centro deportivo más cercano.

Sentido de pertenencia: identidad y amor a la patria

Te presentamos aquí un texto sobre el amor a la patria. Es de José Rosas Moreno, autor conocido como el *Cantor de la niñez*. En nuestro país, escribió las primeras obras teatrales para ser representadas por y para niños, y libros de texto.

Amad a la patria

Los recuerdos de alegría y de tristeza, el amor de nuestros padres, el afecto de nuestros hermanos y de nuestros amigos, nuestras ilusiones, nuestros ensueños, todo se une para dar aliento y vigor, para hacer más tierno y más hermoso el sentimiento de la patria.

La patria no es solamente la tierra donde habéis nacido.

El tranquilo hogar, embellecido por el amor paterno; los valles donde pasamos los risueños días de nuestra infancia, las arboledas, los bosques, las montañas, las ciudades, los cariñosos ensueños de la juventud, los amigos que sinceramente nos estrechan en sus brazos, el campo fúnebre y triste donde duermen el sueño eterno los seres predilectos de nuestro corazón, el recuerdo de nuestros héroes, la historia de nuestros infortunios; las esperanzas de mejores días, todo esto, ¡oh niños!, constituye la patria.

Amadla siempre y bendecidla y procurad defenderla noblemente cuando sea atacada.

Cooperación

La cooperación hace que se logren de mejor manera los proyectos que requieren esfuerzo, participación y recursos de dos o más personas. Al cooperar las personas trabajan de manera conjunta para alcanzar un mismo fin.

Cuando un grupo coopera es más seguro que alcance las metas propuestas, pero, además, que las personas se sientan unidas, pues cada una va descubriendo sus propias potencialidades y las desarrolla con el apoyo de las otras. Así, los logros de unas son los logros de las demás, y los lazos se vuelven más fuertes.

Para que la cooperación muestre resultados es necesaria la presencia de valores como el diálogo, el respeto y la tolerancia.

Las personas forman agrupaciones que se llaman "cooperativas" porque toman como principio básico la cooperación. Algunas se dedican a producir mercancías y otras las adquieren y las venden a precios justos. En ambos casos, los integrantes de la cooperativa trabajan para beneficiarse mutuamente.

¿En tu escuela hay una cooperativa de la que formes parte? Investiga cómo funciona, sus propósitos y cómo tomar las decisiones para beneficiar a la comunidad escolar.

Para difundir los resultados de su investigación pueden preparar juntos un periódico mural.

Decidir

La información te ayuda a tomar mejores decisiones. El derecho a la información es uno de tus derechos.

Sin duda tu familia ha procurado que te alimentes bien para proteger tu salud y desarrollo. Ahora tu participación es muy importante; tú puedes decidir alimentarte sanamente y preparar alimentos sabrosos para llevar a tu escuela. Con ese propósito:

1. Investiga qué alimentos son necesarios para tu crecimiento. Puedes acudir al centro de salud de tu localidad, consultar en libros o a través de Internet. Para tomar decisiones adecuadas es muy importante tener información.
2. Acude al mercado a investigar cuáles están disponibles y su precio.
3. Comenta con tus papás cuáles de esos productos pueden adquirirse. Tomen en cuenta que la fruta y la verdura de la temporada son más económicas y abundantes.
4. Investiga recetas o inventa con tu familia algunas en las que se utilicen productos nutritivos.
5. Ordena tus actividades para que puedas preparar tus alimentos cuidando las condiciones de higiene necesarias.
6. Prefiere las bebidas naturales y cuida que estén preparadas con agua potable.
7. Reduce el consumo de golosinas y productos chatarra que no te nutren y dañan tu salud.

Valorar la función de los sentidos

¿Conoces a alguna persona ciega o sorda? ¿A qué se dedica? Cuéntanos.

....

....

....

¿Qué trabajos desempeñan las personas con diferentes discapacidades en el lugar donde vives?

....

....

Diversas empresas e instituciones de México contratan a personal con discapacidad para atender al público

Recorre tu escuela. Observa, reflexiona y anota:
¿En la escuela hay niñas y niños con discapacidad?

....

¿Qué atención se les da?

....

¿Hay rampas para las personas con discapacidad motriz?

....

¿Qué se puede hacer para que estudiantes con debilidad visual o auditiva tengan mejor acceso a los diferentes servicios educativos de la escuela?

....

....

....

....

Haz un dibujo con la propuesta de mejora que te parezca interesante.

Qué se puede hacer en el salón de clases si…

Alguien no ve bien	Alguien no escucha bien	Alguien tiene dificultad para moverse

Observa la pintura de la página 19. Relaciona las imágenes con algunas de las ideas del texto de José Rosas Moreno sobre el amor a la patria.

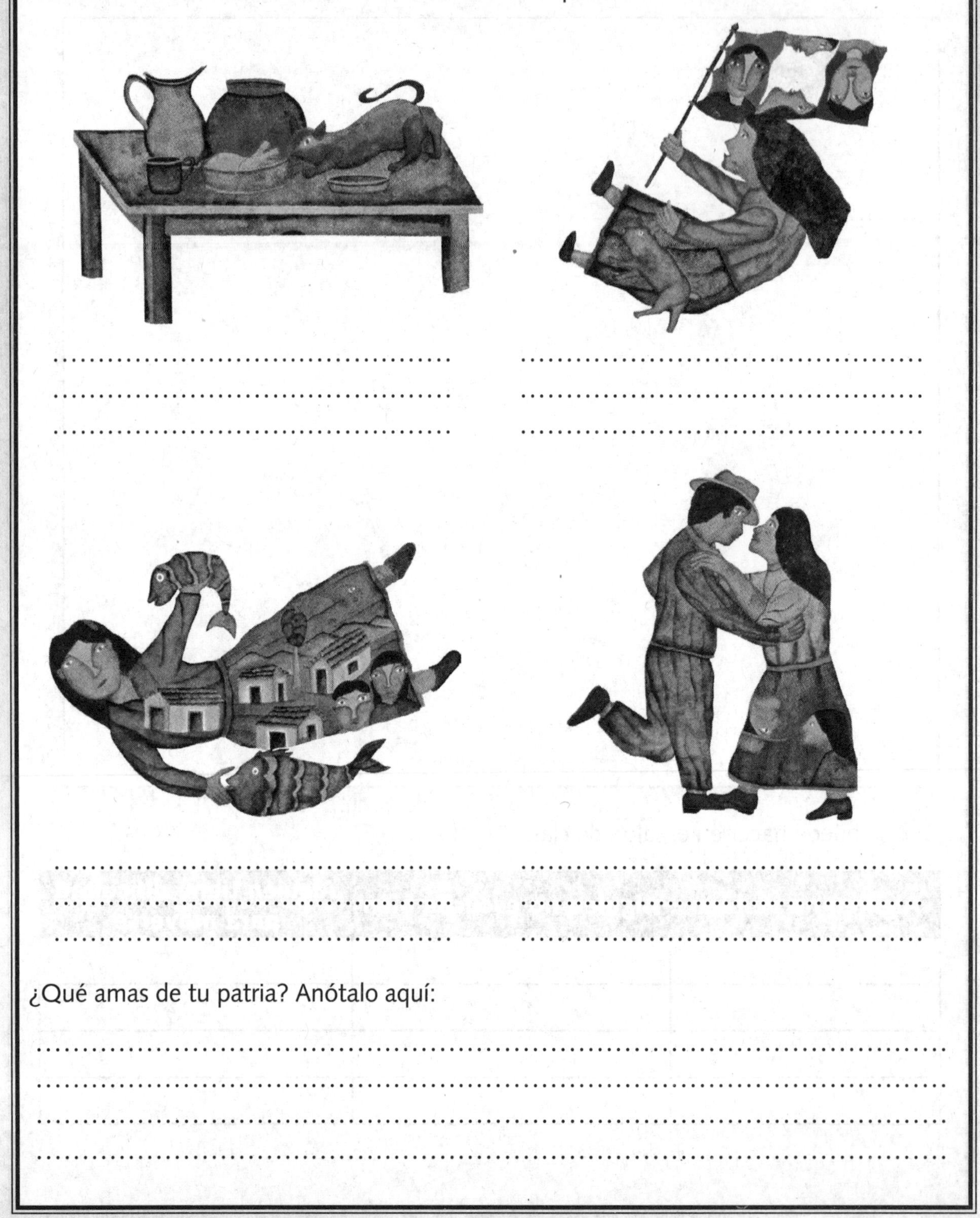

¿Qué amas de tu patria? Anótalo aquí:

Investiga, reflexiona y discute.
¿Cuáles son las razones que sustentan las recomendaciones que se te han dado?
Reflexionemos: ¿Por qué no dar tus datos personales por Internet?

....
....
....
....
....

¿Por qué no acordar citas con personas sin conocimiento de mi familia?

....
....
....
....
....

¿Por qué no subir a vehículos con personas desconocidas?

....
....
....
....

¿Por qué lavarse las manos y no acudir a lugares muy concurridos para prevenir la influenza?

....
....
....
....
....

¿Por qué lavar la ropa de cama y ventilar los cuartos para cuidar la salud?

....
....
....

Las cualidades de mi mejor amigo

Anota en cada dedo de esta mano una cualidad de tu mejor amigo o amiga. Al centro escribe su nombre.

¿Que le dirías en un discurso de alabanza? Escribe aquí las principales ideas de tu discurso. Leer "El poder de la palabra"del bloque 2 te ayudará.

....

....

....

....

....

Autoevaluación

Escoge una respuesta y colorea el pez.

S Siempre  **CS** Casi siempre  **CN** Casi nunca **N** Nunca

En la escuela, con mis maestros y mis compañeros

Identifico los cambios que va teniendo mi cuerpo y hablo de ello con naturalidad.

S  CS   CN  N

Aprecio la importancia de mis órganos de los sentidos.

S  CS  CN  N  

Tengo solidaridad con las personas que tienen alguna discapacidad, limitación física o dificultad para las actividades en la escuela.

S  CS  CN  N 

Aplico medidas de seguridad en mi camino a la escuela.

S  CS  CN  N 

Utilizo mi tiempo libre en actividades que me divierten sin exponerme a riesgos.

S  CS  CN  N 

En mi casa, en la calle y otros lugares

Utilizo medidas adecuadas para cuidar mis órganos de los sentidos.

S  CS  CN  N 

Valoro mis cualidades y capacidades, y actúo con seguridad.

S  CS  CN  N 

Reconozco las capacidades y cualidades de las personas con quienes convivo.

S  CS  CN  N 

En mi tiempo libre participo en actividades de recreación y esparcimiento con mi familia.

S  CS  CN  N 

Aplico medidas de seguridad cuando uso Internet.

S  CS  CN  N 

¿En qué puedo mejorar? ....

....

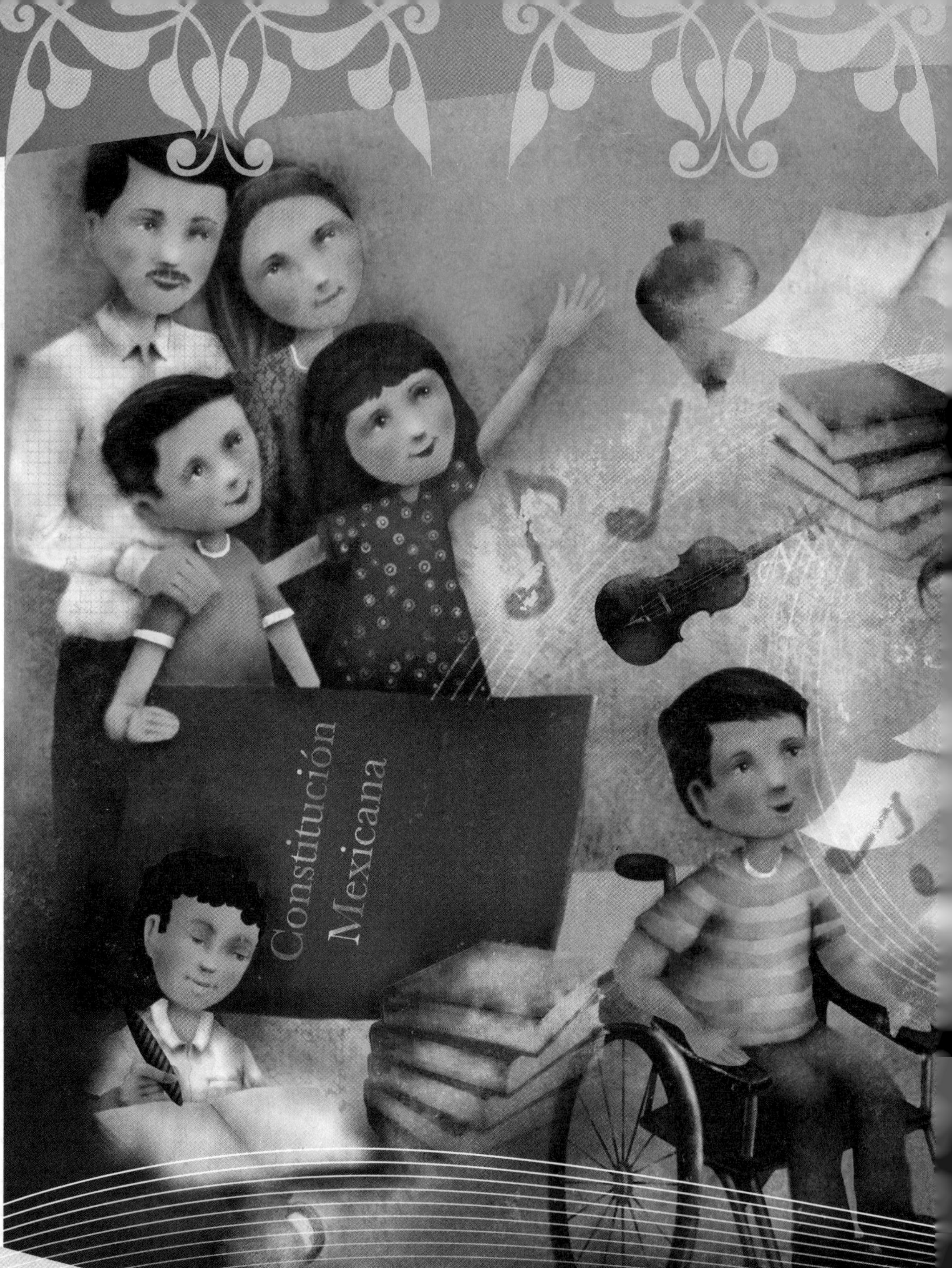

Constitución
Mexicana

Bloque 2

El ejercicio de mi libertad y el respeto a los derechos propios y ajenos

Con el aprendizaje y la práctica podrás:

- Respetar los acuerdos que logras con las personas, encauzar tus emociones y evitar la violencia.
- Tomar decisiones con libertad, y cumplir tus deberes y tu palabra.
- Saber que la Constitución Política de los Estados Unidos Mexicanos garantiza los derechos humanos.

Platiquemos

La vida social pacífica es posible solamente gracias al respeto que todos debemos tener hacia ciertos valores que pertenecen a cada uno de los mexicanos. Estos valores están plasmados en la Constitución Política de los Estados Unidos Mexicanos.

Entre estos valores destaca el de la libertad de cada uno, la cual, como ya sabes, está limitada por la libertad de los demás.

La libertad que nos garantiza la ley es la base de nuestro desarrollo como personas y como pueblos. Tanto las personas como los pueblos tenemos oportunidad de reflexionar sobre nuestros actos y decidir cómo actuar.

Los límites a nuestra libertad son los que nos impone la libertad de los otros, y también los acuerdos y leyes establecidos con los demás individuos o pueblos, según sea el caso. Los acuerdos que establecemos con otras personas, y las leyes que nos protegen y obligan a todos, son pautas imprescindibles para nuestra acción y para posibilitar la vida social.

La independencia y la libertad conquistadas por las armas habían de afianzarse por medio de una educación que transformara a los antiguos siervos del rey en ciudadanos, y a los novohispanos en mexicanos. La educación es el medio que tienen los individuos y los pueblos para ejercer su libertad y derechos.

Como el derecho a la libertad, están garantizados el derecho a la educación, del cual tú estás haciendo uso en este momento, y el derecho a la salud. Es decir, el gobierno tiene la obligación de cuidar del estado óptimo de tu salud emocional y física, así como de proporcionarte los medios para que te cuides de las enfermedades que pudieran sobrevenirte.

El gobierno está obligado a ofrecer educación básica gratuita. Dado que la educación que imparte el Estado es laica; es decir, que no tiene dependencias con religión alguna, tú no necesitas pertenecer a algún grupo religioso para recibir educación, y gozas de libertad religiosa. En la escuela pública no se difundirán ni impugnarán ideas con respecto a la religión.

Tienes además la libertad de expresar tus pensamientos, siempre que no dañes a otro con esa expresión.

Puedes reunirte con tus compañeros para discutir las cosas que te parezcan injustas o mal hechas, y actuar conjuntamente para modificarlas si es que entre todos concluyen que tienes la razón.

En los albores de la Independencia, José Joaquín Fernández de Lizardi, *el Pensador Mexicano*, escribió la primera novela mexicana: *El Periquillo Sarniento.*

Asimismo, tu libertad se manifiesta en que, a partir del lugar donde vives —barrio, colonia, unidad habitacional, comunidad, entre otros—, tú y tu familia podrán recorrer todo el país sin que nadie tenga el derecho de impedirlo.

Algunas de las libertades que garantiza nuestra Constitución Política son la de pensamiento, expresión, reunión y tránsito.

Tu derecho a la educación y tu libertad se relacionan. Por ejemplo, tu educación te faculta para elegir con libertad el oficio o la profesión que ejercerás cuando seas una persona mayor.

Así, podrás dedicarte, por ejemplo, a la pedagogía, la carpintería, la albañilería, la química, la economía, el deporte o el arte. Los oficios relacionados con la ciencia y la tecnología seguramente tendrán un desarrollo preferencial dada su evolución en el tiempo presente, pero todos tienen valores semejantes porque contribuyen a la formación y a la realización del individuo en su plenitud.

La libertad, los derechos, la igualdad de todas las personas, la educación de los niños, la identidad nacional y la soberanía son los temas principales de la primera novela mexicana.

Estos valores de la libertad de que hablamos son llamados por la ley "garantías individuales", porque garantizan las facultades que tienes como individuo para realizar aquello que para tu bien y el de los demás te parezca propicio.

El gobierno debe garantizar que disfrutes de los derechos y las libertades que nuestra ley te concede. Hemos hablado de algunos de ellos.

Las autoridades que los mexicanos designaron para su servicio, y que constituyen los órganos de gobierno, son las que tienen la obligación de realizarlos.

Por ejemplo, la escuela en que estás estudiando convierte en garantía para ti el derecho que tienes a educarte. La autoridad que garantiza ese derecho es la Secretaría de Educación Pública.

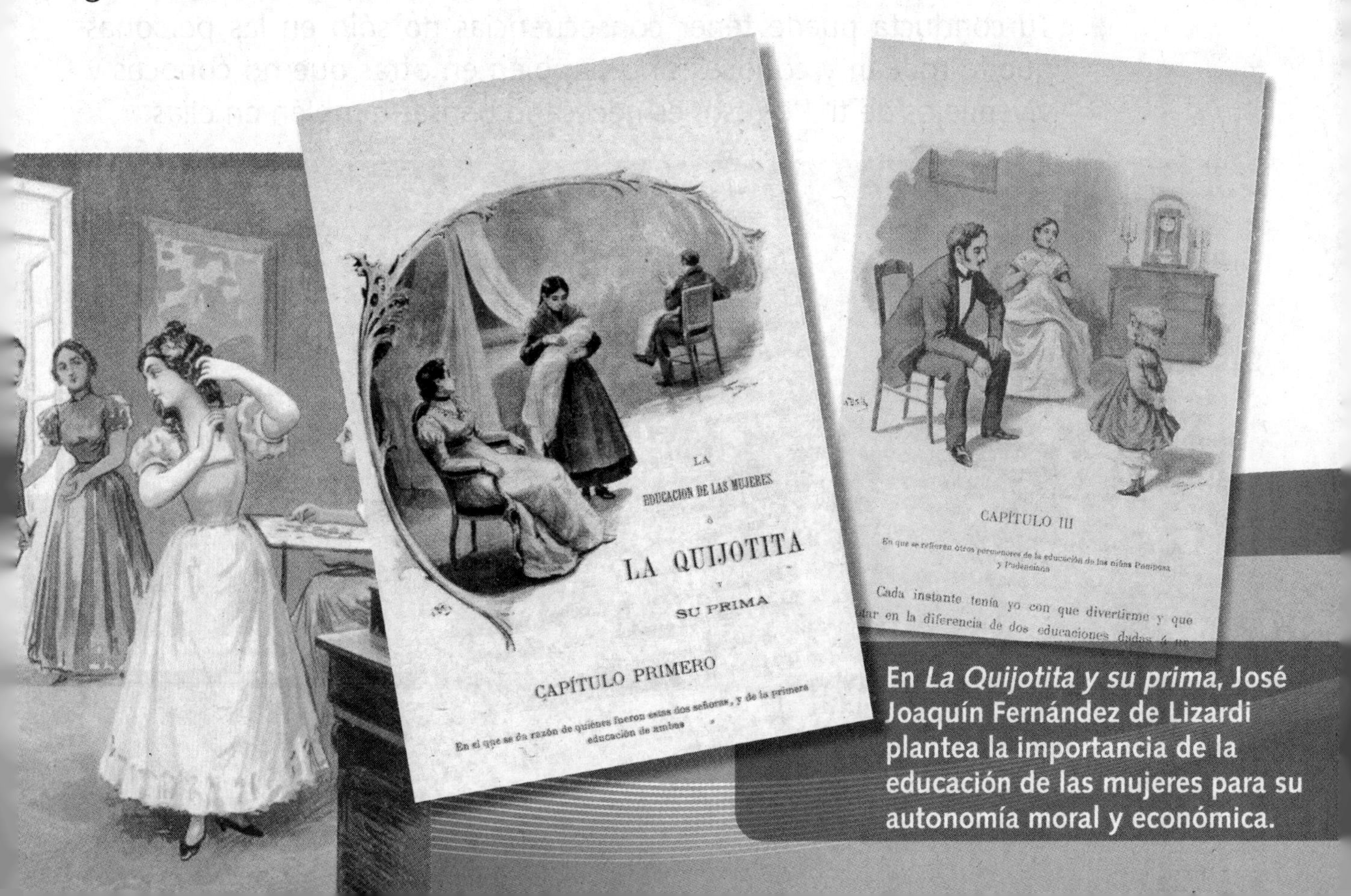

En *La Quijotita y su prima*, José Joaquín Fernández de Lizardi plantea la importancia de la educación de las mujeres para su autonomía moral y económica.

Los límites a nuestra conducta no son sólo externos o impuestos por otros; también actuamos dentro de los límites que nos imponemos nosotros mismos. Esta capacidad de moldear nuestra conducta se llama autorregulación.

Una forma de autorregulación es pensar no sólo en lo que deseas en un momento dado sino prever las consecuencias que una conducta puede tener en ti, o en otras personas, tanto de inmediato como después.

Es necesario aprender a dar cauce a tus emociones de enojo porque éstas suelen nublar el pensamiento, e incluso conducir a faltas de respeto y actos violentos que a nadie convienen. Al actuar y relacionarte con los demás, piensa en las consecuencias que tiene tu comportamiento.

Tu conducta puede tener consecuencias no sólo en las personas que te rodean y conoces sino también en otras que no conoces y viven lejos de ti. Por eso, es necesario pensar también en ellas.

Cuando te pones de acuerdo con otras personas, juntos ejercen su libertad y buscan la justicia. Es por eso imprescindible respetar los acuerdos que establezcas.

A medida que dejas la infancia, cada vez actúas con mayor responsabilidad en tus actos, y también con mayor sentido de justicia. Eso se llama autonomía moral.

Aunque como sociedad hemos ido avanzando hacia condiciones de mayor justicia, en nuestro país, por desgracia, se cometen actos de injusticia. Esto es, no se da a cada quien lo que por naturaleza o por ley ha de pertenecerle. Así, por ejemplo, en este momento tú y tus compañeros asisten a la escuela y se benefician de ella.

Pero hay muchísimos niños que por distintas razones están privados de estudios, ellos son víctimas de una injusticia que es necesario remediar.

La educación faculta al ser humano para ejercer plenamente todas sus libertades. La sociedad debe deliberar sobre esto y meditar sobre las posibles maneras de hacer llegar la educación a todas las personas.

Aquí ves algunos de los grabados con que se ilustraron dichas novelas. Puedes notar cómo se vestía la gente en esa época y las diferencias sociales que denotan su vestimenta, su labor y su actitud. Los mexicanos hemos luchado por abatir las diferencias injustas.

Un diálogo imaginario: la tarea de la libertad

—Mamá, papá, me dejaron de tarea preguntar qué es la libertad.

—Libertad es poder preguntar lo que tú quieres y que te respondamos con la verdad. Ella está en lo más profundo de tu ser, te mueve a crecer, te hace inquieto y travieso. Tú nunca dejarás de preguntar, de buscar, de ir más allá de donde estás, y eso es el impulso de tu libertad. Pero es también ayudarte a crecer, y ésa es nuestra responsabilidad.

—¿Todos los humanos somos libres?

—Sí, por ser humanos. Es el regalo con que la vida nos ha despertado. Somos libres si queremos en verdad serlo. Cada quien es responsable de su libertad. Es la tarea diaria que nos ha dejado la vida en este planeta. Pero podemos no llegar a serlo, porque no todos tenemos la posibilidad de ponerla en práctica y crecer en ella.

—¿De dónde viene la libertad?

—Basta echarle una mirada a nuestra historia, a los hombres y mujeres más grandes, y te darás cuenta de que es una energía, la más poderosa del universo, la que puede construir lo más grande, bello y sublime. Pero también puede destruirlo todo. Hemos construido armas nucleares, librado las guerras y genocidios más atroces. La libertad es un esfuerzo que cuando alcanza su objetivo, produce alegría profunda; pero es una lucha dolorosa, y conquistarla ha costado muchas vidas y sangre inocente.

—¿Cuándo alcanzamos la libertad?

—Llegar a ser libre te cuesta toda la vida, y nunca podremos decir que alcanzamos la libertad plena para siempre. Todos los días habrá nuevos retos para ser libres y nuevas esclavitudes que nos amenazarán.

—¿Hay quienes no quieren que seamos libres?

—Esa pregunta debes hacértela a ti mismo: ¿quiero en verdad ser libre? Hay que elegir serlo. No es algo mágico o mecánico. Nadie te la da si tú no la buscas. Incluso tú puedes dañarla eligiendo lo que te impide crecer como persona y te pierde en el laberinto del odio, el alcohol, las drogas o la violencia. El que no se ama a sí mismo y no ama a los demás, no es realmente libre. Debes tener el valor de querer serlo y de querer que los demás también lo sean.

—¿Mi libertad sólo depende de mí?

—Si naces en una sociedad que no te allega suficiente alimento y tu salud se daña; sin educación y tus capacidades no se desarrollan; sin tener un trabajo para hacer algo valioso por tu país, darle a tu familia lo que necesita; aunque seas libre, y siempre lo serás porque nadie podrá destruir tu libertad, no podrás desarrollarte en toda tu riqueza como persona.

La libertad se ejerce dependiendo de las condiciones de salud, aprendizaje, trabajo, recreación y de asociación para expresar y vivir ideas con otros que las comparten y proponerlas a los demás. Por ello, no hay libertad sin justicia social.

Éste es un derecho sagrado de cada persona; es el objetivo al que todos los derechos humanos están orientados, el deber más alto de todas las sociedades, de sus leyes y autoridades. Las sociedades justas son las que reconocen las libertades y las promueven en todos los campos de la vida.

—¿Cómo se llaman esas sociedades en el mundo?

—Sociedades democráticas fundadas en la dignidad y los derechos de todas las personas.

—¿En México, somos una sociedad así?

—En parte, pues nos falta mucho para que seamos siempre más libres en todos sentidos.

—¿Qué nos falta?

—Te toca a ti investigarlo. Todo lo que hagas por ti, tu país y el mundo, buscando ser más libre, será siempre valioso, importante y necesario para lograrlo. Hijo, tú nos haces falta para que podamos ser más libres. ¿Qué quieres para ti y para tu mundo desde ahora?

Alberto Athié Gallo
Ciudadanos por el Diálogo Democrático

Cadenas y grilletes

Como sabrás por tus clases de historia, en nuestro país se permitió la esclavitud durante el periodo conocido como la Colonia o el Virreinato.

Cuando Miguel Hidalgo proclamó la independencia, también declaró abolida la esclavitud. En *Sentimientos de la Nación*, José María Morelos expresaba:

> *Que la esclavitud se proscriba para siempre, y lo mismo la distinción de castas, quedando todos iguales, y sólo distinguirán a un americano de otro el vicio y la virtud.*

Notarás que habla de nosotros llamándonos "americanos" en contraposición a "novohispanos".

En uno de los capítulos de la novela *El Periquillo Sarniento*, de José Joaquín Fernández de Lizardi, publicada en 1816, un negro y un inglés hablan en contra de la esclavitud, y el Periquillo bromea sobre el tema de los títulos nobiliarios. Por esta razón, la novela fue censurada y dejó de publicarse.

La esclavitud sigue siendo una lacerante realidad en el mundo. Por eso, la Organización de Naciones Unidas decidió que el 2 de diciembre fuera el Día Internacional para la Abolición de la Esclavitud.

Elogio de la democracia

La libertad es como el aire: no lo apreciamos hasta que nos falta. Por eso los pueblos que han padecido la falta de libertad la protegen tanto. Hay muchas formas de libertad, todas valiosas e imprescindibles. Vale la pena recordarlas: libertad de moverse a donde uno quiere, libertad de trabajar en lo que a uno le gusta, libertad de creer (o no creer) en la religión que a uno lo convenza o lo conmueva, libertad de pensar y de expresar nuestras ideas. Hay países en donde esas libertades no se respetan. El nuestro ha sido, en general, un país respetuoso de las libertades.

En una democracia las personas viven con plena libertad. Una de esas libertades fundamentales consiste en elegir a los gobernantes. ¿Quién es el mejor? ¿A quién me gustaría elegir? Es natural que las opiniones difieran, y por eso existen las elecciones. En una democracia gana quien tiene más votos. Esa victoria le da derecho a gobernar por un periodo limitado, pero no le da derecho de aplastar o acallar a la minoría. En una democracia las minorías y las mayorías conviven y debaten sobre sus opiniones con el mayor respeto y tolerancia.

La tolerancia es una palabra muy hermosa. Tolerar las opiniones de quien no piensa como nosotros es un valor de la democracia. Quien no piensa como yo tiene libertad de defender sus ideas. Yo tengo el deber de escucharlo. Y él tiene el deber de escucharme. Tolerar es escuchar, y considerar al menos la posibilidad de que uno pueda cambiar de opinión. La intolerancia entre los hombres ha desembocado con frecuencia en la guerra. Quienes no toleran las opiniones de los otros, terminan por no tolerar la existencia de los otros.

México sólo ha vivido como una democracia en periodos muy breves: de 1867 a 1876 (en la época del presidente Juárez), entre 1911 y 1913 (en el tiempo del presidente Madero) y desde el año 1997, cuando empezó a haber elecciones limpias gracias a la existencia del IFE, el Instituto Federal Electoral. ¿Por qué se perdió la democracia en aquellos dos periodos previos al presente? Por falta de tolerancia entre los partidos y las personas, que en vez de debatir sobre sus distintas ideas prefirieron matarse por ellas. En esta tercera oportunidad histórica, no debemos permitir que nuestra democracia muera. Debemos defender con vigor y con razones claras nuestras ideas, pero debemos ser tolerantes con las opiniones de los demás, y no verlos como enemigos.

México ha sido un país de libertad, pero en muchos momentos de su historia no ha sido tolerante ni demócrata. Ahora tenemos que grabar esas tres palabras en nuestra mente y en nuestro corazón: libertad, democracia y tolerancia. Las tres palabras deben normar nuestra conducta, día tras día. Son las condiciones de la vida civilizada. La libertad es como el aire, la tolerancia es el respeto al prójimo y la democracia es el mejor acuerdo para vivir en sociedad.

Enrique Krauze
El Colegio Nacional

Defensores de nuestra libertad

Como renuevos cuyos aliños
un cierzo helado marchita en flor,
así cayeron los héroes niños
ante las balas del invasor.

Descansa, Juventud, ya sin anhelo,
serena como un dios, bajo las flores
de que es pródigo siempre nuestro suelo;
descansa bajo el palio de tu cielo
y el santo pabellón de tres colores.

Descansa, y que liricen tus hazañas
las voces del terral en los palmares,
y las voces del céfiro en las cañas,
las voces del pinar en las montañas
y la voz de las ondas en los mares.

Descansa, y que tu ejemplo persevere,
que el amor al derecho siempre avive;
y que en tanto que el pueblo que te quiere
murmura en tu sepulcro: "¡Así se muere!",
la fama cante en él: "¡Así se vive!".

Amado Nervo
Los niños mártires de Chapultepec
(fragmento)

Agustín Melgar

Juan de la Barrera

Francisco Márquez

Fernando Montes de Oca

Vicente Suárez

Juan Escutia

¿Qué es la legalidad?

La legalidad significa que todos los miembros de la sociedad aceptan las reglas del juego (es decir, las leyes) y las obedecen. Para que esto suceda es necesario que el gobierno asegure a los ciudadanos que esas reglas y leyes serán cumplidas. Cuando todos los ciudadanos aceptan respetar las leyes y el gobierno las hace cumplir de manera equitativa, el país vive en legalidad. Nuestra historia nos enseña que no es suficiente querer ser un país de leyes, es decir, un país con muchas leyes en papel. Es necesario que con el trabajo y el compromiso de todos —gobierno, partidos políticos y ciudadanos— ayudemos a que la aplicación de las leyes sea una realidad.

Luis Rubio
Centro de Investigación para el Desarrollo, A. C.

Derecho a tener una familia

Todos los niños tienen el derecho a formar parte de una familia. Por esta razón, el gobierno busca que el mayor número posible de niños y niñas sin cuidados parentales se incorpore a una familia y reciba amor y cuidados dentro de ellas.

Los menores son población vulnerable por definición. Es necesario que un adulto se ocupe de educarlos, de enseñarles a ser buenas personas y buenos ciudadanos; también que vele por su integridad física y moral. La mejor solución para los niños en situación de orfandad consiste en incorporarlos a una familia.

El Sistema Nacional DIF convoca a todas las personas que intervienen en el proceso de adopción, y lleva a cabo una serie de acciones para que este proceso sea cada vez más rápido y busque siempre el interés superior de los pequeños. Lo más importante para la sociedad es que cada niño o niña que sean dados en adopción encuentren una familia que los haga felices, valorándolos y amándolos.

Sistema Nacional DIF

Fábulas, valores y libertad

Desde hace mucho tiempo se han usado las fábulas para educar a los niños. Contando historias donde los protagonistas suelen ser animales —a veces en interacción con algunos seres humanos, o también objetos o plantas— los autores de las fábulas buscan que el lector reflexione sobre algunos valores que orientan la libertad del ser humano.

En México, durante la época de la Colonia se leyeron fábulas de Esopo, Fedro, Jean de la Fontaine, Tomás de Iriarte y Félix María de Samaniego.

Lee aquí algunas fábulas mexicanas, e identifica los valores y conductas que promueve cada una. Son de los autores mexicanos José Joaquín Fernández de Lizardi, el *Pensador Mexicano* (1776-1827) y José Rosas Moreno (1838-1883). ¿Te gustan?

El ratón y el gato

Con un pardo ratón un rubio gato
de perpetua amistad hizo contrato,
y en menos que lo digo
el rubio ingrato se comió a su amigo.

Así acaban, ¡oh niño!, en ocasiones
amistades de gatos y ratones,
y debes evitar desde este día
cualquiera peligrosa compañía.

José Rosas Moreno

El sapo, la rana y el buey

A un miserable sapo, una mañana:
"Yo puedo más que un buey", dijo una rana,
"no lo dudes, amigo, el otro día
a un poderoso buey vencí luchando"...
Mientras así decía
pasaba un buey, y la aplastó pasando.

Ya ves, lector amigo,
que siempre el fanfarrón halla castigo.

José Rosas Moreno

El novillo y el toro viejo

Hicieron unas fiestas en un pueblo,
en las que no faltaron sus toritos,
porque lidiar los hombres con los brutos
en la mejor función es muy preciso.
Pasadas ya las fiestas, se juntaron
en el corral de Antón el buen novillo
y un toro de seis años, que mil veces
al arado de su amo había servido.
A los dos torearon en las fiestas,
y por esta razón fueron amigos.
Conociéronse luego, y con espanto
el novillo al buey viejo así le dijo:
—Escucha, camarada, ¿por qué causa,
cuando los dos jugamos en un circo
yo salí agujerado como criba,
y tú sacaste tu pellejo limpio?
Entonces el buey grave le responde:
—Porque yo ya soy viejo, buen amigo;
conozco la garrocha, me ha picado;
y así al que veo con ella nunca embisto.
Por el contrario, tú, sin experiencia,
como toro novel y presumido,
sin conocer el daño que te amaga,
te arrojas a cualquiera precipicio,
y por esa razón como un arnero[1]
sacaste tu pellejo, y yo el mío limpio.
—Pues te agradezco mucho, amado hermano
—dijo el torete—, tu oportuno aviso.
Desde hoy ser ya más cauto te prometo,
pues por lo que me dices, he entendido
que es gran ventaja conocer los riesgos,
y saberse excusar de los peligros.

José Joaquín Fernández de Lizardi

[1] *Arnero.* Parte del traje de defensa de los antiguos soldados, que recibía todos los golpes y lanzadas.

La tortuga y la hormiga

Una tortuga en un pozo
a una hormiga así decía:
—En este mezquino invierno,
dime, ¿qué comes, amiga?
—Como trigo —le responde—,
como maíz y otras semillas,
de las que dejo en otoño
mis bodegas bien provistas.
—¡Ay! ¡Dichosa tú! —exclamaba
la tortuga muy fruncida—.
¡Qué vida te pasas!
¡Oh, quién fuera tú, sobrina!
y no yo, ¡infeliz de mí!
que en este pozo metida
todo el año, apenas como
una que otra sabandija.
—¿Pero en todo el año qué haces?
—preguntaba la hormiguilla—.
Y la tortuga responde:
—Yo, la verdad, todo el día
me estoy durmiendo en el fondo
de este pantano o sentina,
y de cuando en cuando salgo
a asolearme la barriga.
—Pues entonces no te quejes
—la hormiguilla respondía—
de las hambres que padeces
ni de tu suerte mezquina;
porque es pena natural,
y aun al hombre prevenida,
que a aquel que en nada trabaja
la necesidad persiga.

José Joaquín Fernández de Lizardi

El perro y el gato

El noble Misifuf, gato goloso,
que era en todo el país ladrón famoso,
entraba a la despensa cada día
por oculto camino,
y allí con alegría
fiero destrozo hacía
en el queso, en el pan y en el tocino.
Miraba el dueño el daño,
y quién era el ladrón no adivinaba:
pero una vez que Misifuf sacaba
una torta de pan de buen tamaño,
Milord, el vigilante,
el perro favorito,
del hábil gato descubrió el delito,
y la torta quitándole arrogante:
"Pérfido, infame gato,
ira me causa verte",
le dijo con colérico arrebato;
"por vil, y por ladrón, y por ingrato
morir será tu suerte,
que el robo se castigue con la muerte.
¿Cómo tienes, infame, la osadía
de escarnecer el código sagrado
que nuestra sociedad ha sancionado?...
¡Oh cuánta corrupción hay en el día!
Tu vida será corta...
yo mucho he de gozar en tu agonía..."
Y en tanto que decía
con gran delicia se comió la torta.
Hay en el mundo número no escaso
de apreciables varones,
que de moral y leyes dan lecciones,
y cuando llega el caso
desmienten la moral con sus acciones.

José Rosas Moreno

El cordero y el lobo

En un corral vivía
un manso corderillo,
y a verlo por las rejas del portillo
un lobo engañador se acerca un día.
Mirándolo el cordero
le dice temeroso:
—¿Qué se le ofrece a usted, buen caballero?
—Vengo a buscar —el lobo le contesta—
la hierba que produce la floresta,
y el agua clara de la fuente pura,
que una vida frugal, dulce y modesta
puede darnos tan sólo la ventura.
—Yo sé que usted devora
la sangre con placer en sus furores.
—Eso era en otro tiempo,
pero ahora maldigo las costumbres
que tuvieron mis bárbaros mayores,
y nunca probaré más que legumbres,
tallos flexibles y olorosas flores.
—Esto —dice el cordero— es un milagro.
—¡Eh! No se admire usted, pues me consagro
a estudiar la moral —replica el lobo—,
detesto la matanza y odio el robo.
En el bien he cifrado mi alegría;
puede usted convencerse cuando quiera:
en aquella pradera
he visto alfalfa tierna y agua fría;
pastaremos en buena compañía.
—¿Ya no es usted cruel? En tal concepto
—dice el cordero— acepto.
Y sale el inocente,
y el lobo con furor le clava el diente.

Pensad en el cordero desgraciado,
y no sigáis, ¡oh niños!,
los astutos consejos del malvado.

José Rosas Moreno

El poder de la palabra

Hola, niño o niña:

Sí, soy Marco Tulio, tu profesor de HABLAR PARA CONVENCER. Hoy veremos otras ocasiones en que es bueno hablar: cuando alguien cumple años, o tiene alguna especial alegría, como terminar un ciclo de estudios, regresar sano y salvo de algún viaje, hacer alguna obra buena, casarse, e incluso es importante saber qué decir cuando alguien muere.

Alabar a un amigo

Ahora queremos alabar a un amigo. Para ello, piensa que él, como todos, tiene cuerpo, valores, cosas y personas que lo rodean: la familia, los amigos, el dinero, los libros, el caballo, el burro, el perro, el coche. Tu discurso podría comenzar así:

Compañeros: Hoy es un día especial para nosotros, porque Tadeo cumple 11 años.

Luego piensa qué quieres alabar de él.

Acerca de su cuerpo. Si ese amigo tuyo es alto, puedes decir que aprovecha muy bien su estatura, que se ejercita constantemente, y la prueba de ello es su calidad en los deportes, o su fuerza o su velocidad; y si es bajo, puedes decir que con su baja estatura burla con toda efectividad la defensa de la portería contraria, y ha desarrollado una velocidad que nadie iguala. Así podrían quedar unas palabras acerca de su cuerpo:

Recordemos que gracias a él esta escuela ha ganado tres trofeos en basquetbol, y quiero decirles que eso es muy meritorio porque todos los días corre un rato para conservar en buen estado su condición física.

Acerca de las cosas y personas que lo rodean. Por ejemplo, cómo alabar a tu amigo con respecto a su familia: si es de familia honrada, y además destacada por alguna razón en tu comunidad o en el país, puedes decir que él ha sabido honrar el nombre de su familia, pues te consta que con su esfuerzo personal ha salido adelante y siempre con altas calificaciones. Si, al contrario, tristemente, tu amigo pertenece a una familia honrada, sí, pero que no le puede dar lo suficiente para estudiar ni ayudarlo en sus tareas escolares, puedes decir que él con su inteligencia y esfuerzo hace sus labores prácticamente solo y bien. Y desafortunadamente hay muchos niños que tienen familiares no honrados, o en centros de rehabilitación social. En estos casos no hay que hacer alusión a ello; hay que alabar otras cosas, como puede ser su dedicación al deporte, su buena salud, su entusiasmo por los números, algún premio que no se les dio, pero que sin duda lo merecían.

El discurso podría continuar así:

Además ha sabido honrar el nombre de su familia, ya que ésta nunca ha tenido queja por sus calificaciones, y eso a nosotros nos consta porque con frecuencia nos ayuda a muchos con las tareas de ciencias naturales.

Acerca de sus valores. Para terminar di que Tadeo es un niño justo y valiente, porque no aceptó el regalo que le hizo el equipo contrario para que jugara con ellos, y ni siquiera tuvo miedo de que luego lo molestaran.

Elige bien tus palabras, porque pueden alegrar, impulsar, desalentar o entristecer a quien las escucha. Siempre haz lo mejor con ellas.

Enojarse

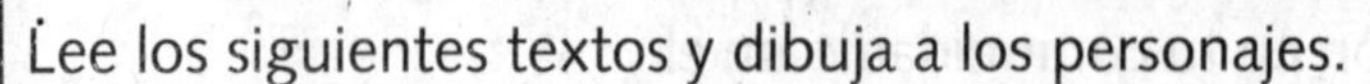

Lee los siguientes textos y dibuja a los personajes.

Eliseo se enoja cuando Pedro, su compañero, se pone a hablar en clase. Como Pedro no deja de hablar y distraerlo, Eliseo da un puñetazo en el escritorio.

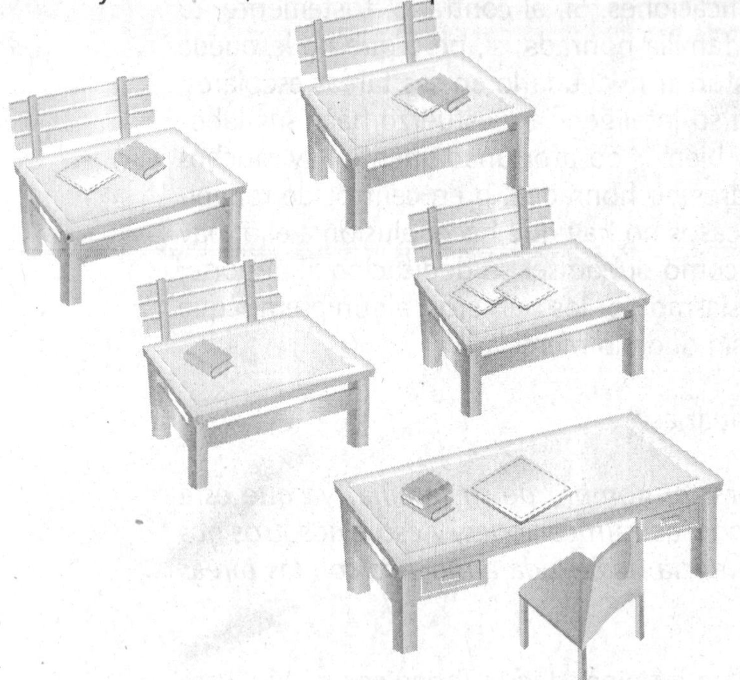

Rosa quiere ser capitana del equipo de basquetbol. El día en que se va a votar por la capitana, se enferma y debe quedarse en su casa. Ella llora desconsoladamente, y se enoja cuando su mamá le pide que no vaya a la escuela.

Mauricio recibe un regalo el día de su cumpleaños. Al intentar abrir el paquete, su hermano menor deja caer el juguete que estaba dentro de la caja, y éste se rompe. Mauricio grita enojado.

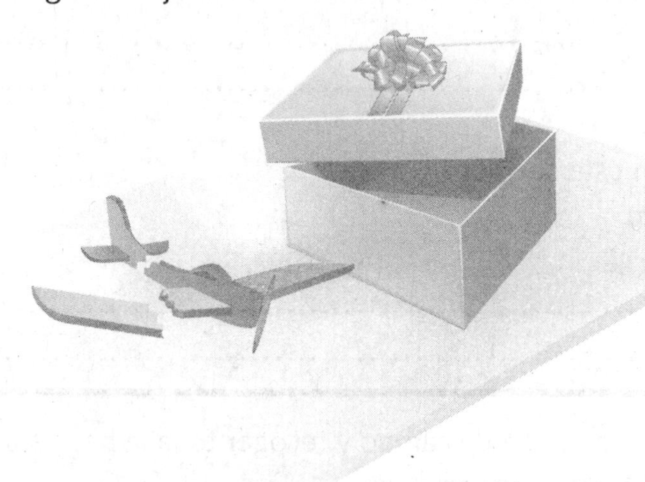

Dale algunas ideas a Rosa, Eliseo y Mauricio sobre cómo expresar sus emociones sin herir a otras personas, y cómo remediar lo que les molesta.
Completa las frases.

Eliseo podría

....

Rosa podría

....

Los gritos de Mauricio

....

Es necesario rechazar las respuestas violentas porque

....

Para expresar mi desacuerdo o desilusión puedo

....

Lee y responde.

Lucero es parte del equipo de futbol. Practican los jueves y los sábados. Este sábado hay partido, y a ella la invitaron a una fiesta de compañeros a la misma hora.

¿Qué debe hacer Lucero? ....

....

¿Qué valor es más importante en esta decisión?

☐ Libertad ☐ Respeto

¿Por qué?

....

....

El grupo de cuarto grado acordó ir a un día de campo y recoger toda la basura antes de regresar a la escuela. Luis dice que no quiere colaborar.

¿Qué opinas que debe hacer el grupo?

....

....

¿Qué valor es más importante en esta decisión?

☐ Igualdad ☐ Libertad

¿Por qué?

....

....

Las amigas de Ana están de acuerdo en invitar a su equipo a la estudiante nueva de la escuela. Como ya llevan el trabajo avanzado, Ana no quiere que entren nuevos integrantes al equipo.

¿Cuáles son las razones de Ana para negarse? Escribe lo que le dirías a Ana.

....

....

¿Qué valor es más importante en esta decisión?

☐ Compañerismo ☐ Libertad

¿Por qué?

....

....

Busca en periódicos o revistas un caso de injusticia relacionado con niños. Recórtalo y pégalo aquí.

Lee "Nuestros derechos fundamentales" en la sección "Para aprender más", del bloque 4, e identifica qué derechos de los niños y de las niñas están siendo afectados.

....

....

....

....

....

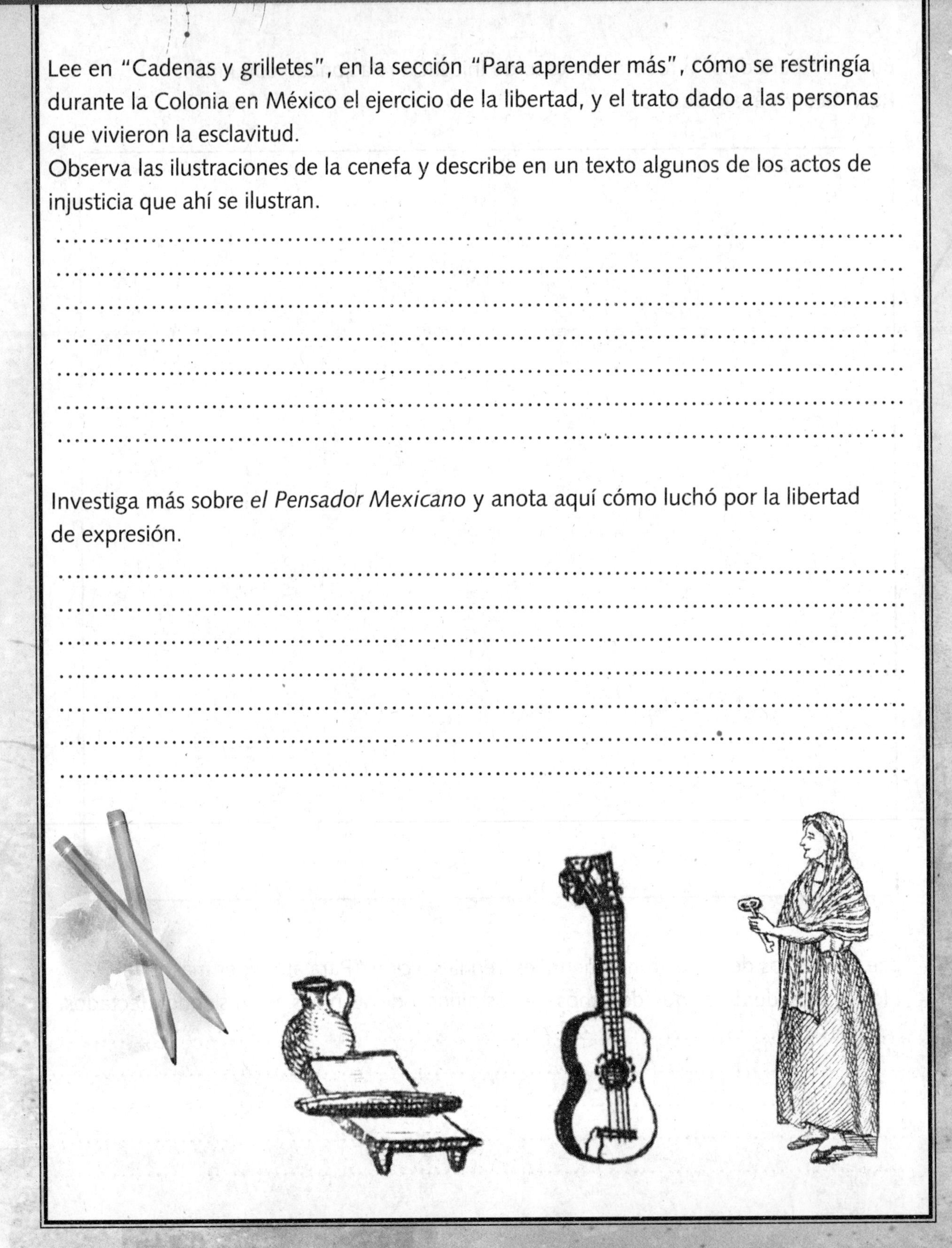

Lee en "Cadenas y grilletes", en la sección "Para aprender más", cómo se restringía durante la Colonia en México el ejercicio de la libertad, y el trato dado a las personas que vivieron la esclavitud.
Observa las ilustraciones de la cenefa y describe en un texto algunos de los actos de injusticia que ahí se ilustran.

....

....

....

....

....

....

....

Investiga más sobre *el Pensador Mexicano* y anota aquí cómo luchó por la libertad de expresión.

....

....

....

....

....

....

....

Autoevaluación

Escoge una respuesta y colorea el pez.

S Siempre  CS Casi siempre  CN Casi nunca  N Nunca 

En la escuela, con mis maestros y mis compañeros

Procuro establecer acuerdos mediante el diálogo.

S  CS  CN  N

Evito imponer mis gustos mediante la violencia o enojándome.

S  CS  CN  N

Elijo comportamientos que no ofenden a otros

S  CS  CN  N

Cumplo con los acuerdos que establezco para asistir a un lugar, ayudar a alguien o estudiar.

S  CS  CN  N 

Identifico la violación de los derechos humanos de personas con discapacidad.

S  CS  CN  N 

En mi casa, en la calle y otros lugares

Comunico mi desacuerdo o enojo sin dañar a otras personas.

S  CS  CN  N 

Ejerzo mis libertades, como la de expresión o reunión, respetando la libertad de los demás.

S  CS  CN  N

Evito acciones que dañen a las personas con quienes convivo.

S  CS  CN  N

Identifico violaciones a los derechos de personas de mi entidad federativa.

S  CS  CN   N 

Respeto los derechos de mujeres, ancianos y niños.

S  CS  CN  N

¿En qué puedo mejorar? ....

....

Bloque 3

México: país diverso y plural

Con el aprendizaje y la práctica podrás:

- Investigar qué es pluralidad y aprender a respetar diferentes expresiones culturales y formas de pensamiento.
- Cuestionar la discriminación y respetar la dignidad de las personas.
- Aprender a cuidar el ambiente.

Platiquemos

En México todos somos iguales ante la ley, aunque podamos hablar lenguas distintas y vivir en medios diversos.

México es un país en el cual se hablan muchas lenguas y conviven personas de diferentes culturas. Nuestra educación busca que los mexicanos nos reconozcamos como una sociedad que es el fruto de una historia y unos valores compartidos. Los símbolos patrios sirven para recordar esa historia y esos valores, y refrendar el compromiso de darnos trato solidario y justo unos a otros, independientemente de las características físicas o sociales de cada uno.

La diversidad es riqueza humana. El valor democrático de la pluralidad nos obliga a apreciar y proteger la diversidad. Todas las personas tenemos derecho a expresar y celebrar nuestras tradiciones siempre y cuando no vayan contra los derechos fundamentales de otro; por ejemplo, contra su libertad, dignidad o integridad física.

Tras la independencia, la nueva nación cobró conciencia de la necesidad de valorar, cuidar y estudiar su patrimonio cultural y natural para así afirmar su identidad.

Las tradiciones y las expresiones culturales son parte de la vida de los pueblos, y de nuestro patrimonio. En ellas se expresa la pluralidad, y se responde a aspectos del medio que nos rodea que da sustento e identidad.

Las tradiciones y las diversas formas que tienen los pueblos de expresar su cultura son una especie de memoria colectiva. Nos recuerdan que tenemos un pasado con raíces profundas, y que la historia ha formado nuestro carácter, nuestro modo de vida y nuestras aspiraciones.

Una parte importante de la identidad cultural es el lenguaje. En nuestro país, como sabes, se habla una gran cantidad de lenguas indígenas, y el idioma más generalizado es el español.

El español es una lengua que se introdujo a México en el siglo XVI. Fue aprendida por los mexicanos, quienes la transformamos en una lengua para la igualdad y la democracia. Dominando esta lengua, los mexicanos sentamos una base firme para comunicarnos y trabajar en condiciones de igualdad. Todo esto nos dio entonces, y nos sigue dando hoy, identidad y libertad.

En 1825 el presidente Guadalupe Victoria acordó que se reunieran, custodiaran y estudiaran los monumentos nacionales, en particular los antiguos vestigios indígenas, y que se formara el Museo Nacional.

El territorio mexicano, hasta principios de siglo XVI, fue habitado por los pobladores originarios que ahora reciben el nombre de indios o indígenas.

Eran hombres y mujeres de gran desarrollo cultural y conocimientos científicos que les posibilitaban edificar magníficas ciudades, ya fuera sobre el agua, en medio de la selva o encima de grandes montañas.

La invasión europea impuso a los indígenas una cultura, una lengua y, en general, condiciones de vida difíciles: ignorancia, explotación y miseria.

Sin embargo, esos indígenas, por su número y por su sangre, fueron quienes conquistaron nuestra independencia. Hay que considerar, además, que la mayoría de los mexicanos sigue siendo, por sus rasgos físicos y por su amor a la libertad, heredera de esos indios.

Museo de La Venta, Tabasco

Museo Nacional del Virreinato

Museo Casa de Morelos, Estado de México

Hoy hay museos en todas las entidades federativas.

No hay razón para dar trato injusto a ninguna persona o discriminarla, y nuestras leyes lo prohíben. Las personas indígenas merecen, como toda persona, y por estar en la raíz de lo que somos, cabal respeto. Debemos respetar, asimismo, las diversas nacionalidades y personas que han venido a conformar nuestro pueblo y nuestra identidad.

Tu educación te prepara para respetar a todos los pueblos del mundo y propiciar con ellos relaciones de dependencia mutua, en la solidaridad y la justicia.

Todos los seres humanos podemos aprender de otras tradiciones y expresiones culturales. Al hacerlo, ampliamos nuestros horizontes y nuestra capacidad de empatía, como se llama esa capacidad de entender a los demás, que es básica para la convivencia justa, igualitaria y respetuosa. La empatía consiste en imaginar y entender cómo otros ven y sienten las cosas.

Si tienes oportunidad de hacer amigos en la escuela con niñas y niños que hablen una lengua que tú desconoces, por ejemplo, o que piensen de manera distinta, o que de alguna manera sean

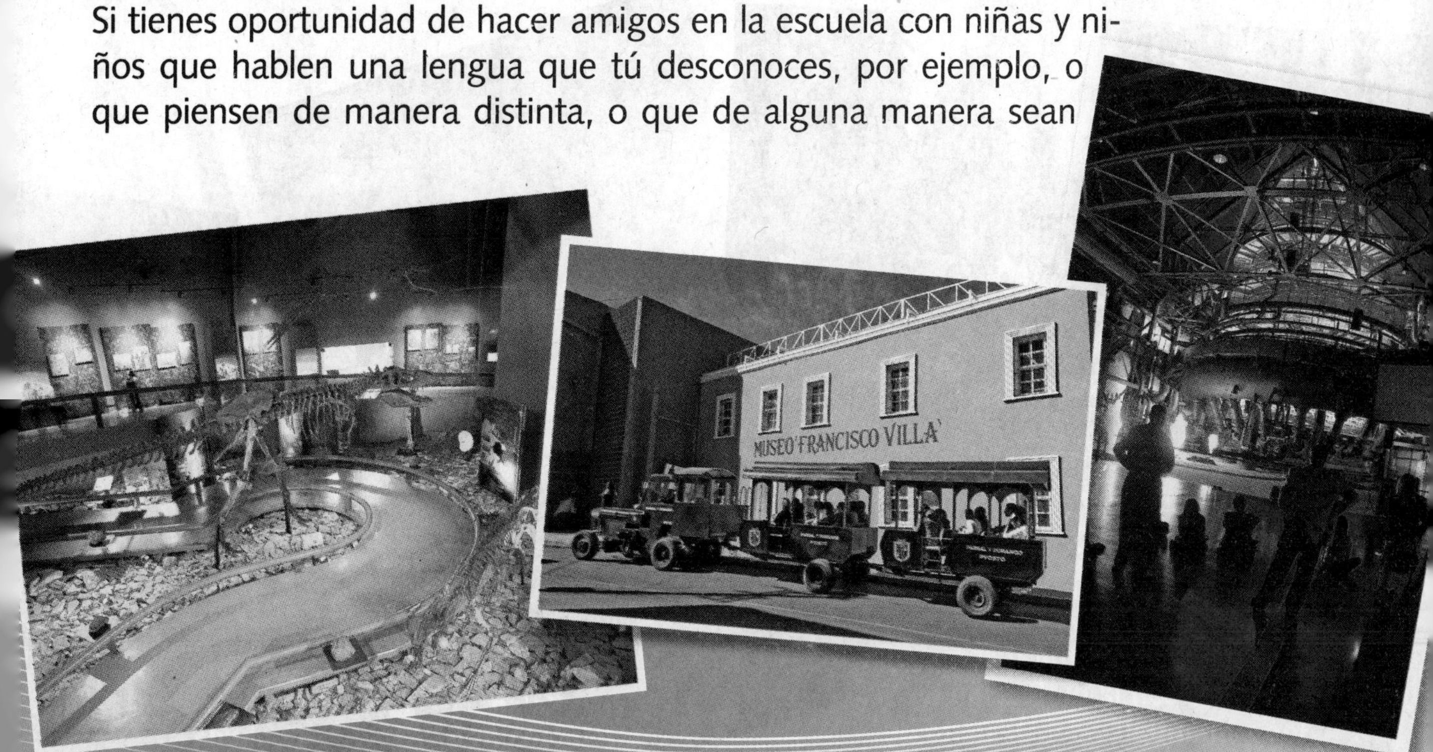

Museo del Desierto, Coahuila

Casa Museo Francisco Villa, Chihuahua

Museo del Acero, Horno 3, Nuevo León

diferentes de ti, verás que es más lo que tienen en común contigo que lo que los distingue a cada uno, y que al jugar todos se divierten.

Si, por el contrario, te apartas de otros compañeros que de algún modo parezcan diferentes de ti, y no los integras a tus juegos y actividades escolares, perderás la oportunidad de disfrutar del compañerismo, la solidaridad y todo lo que ellos pueden enseñarte, y podrías incurrir en formas de discriminación.

La discriminación y la falta de trato justo degradan la dignidad de las personas. La dignidad es el valor que cada uno tiene por ser persona, y le otorga los mismos derechos que a los demás.

Ahora bien, no todo trato diferente es discriminación. El trato diferente se convierte en discriminación cuando lleva a excluir a las personas, impidiendo que ejerzan sus derechos.

La conservación y el resguardo del patrimonio natural comenzó en 1876, con la protección de los manantiales del Desierto de los Leones.

Reserva de la Biosfera de Sian Ka'an , Quintana Roo

Cuatro Ciénegas, Coahuila

Se llama discriminación, entonces, a las acciones que hacen diferencias injustas entre las personas.

En nuestro país hay gran desigualdad de ingresos y de acceso a bienes y servicios, lo que produce un abismo entre las personas que es necesario cerrar porque está creando discriminación y ausencia de equidad. La cantidad de familias que viven en condiciones de pobreza extrema es alta, y crea injusticias que es necesario combatir porque la ley dice que todos somos iguales y tenemos los mismos derechos.

También es necesario combatir las diferencias injustas entre las mujeres y los hombres, pues la ley otorga plena igualdad a todos. Consulta a este respecto los artículos 1 y 4 de la Constitución Política.

Con acceso equitativo a la educación, todas las personas tendrán mayores oportunidades de desarrollo y justicia. Por eso es tan importante que todos aprendamos a reconocer y respetar la dignidad de las personas.

Parque Nacional de El Chico, Hidalgo

Parque Nacional Cañón del Sumidero, Chiapas

En 1988 se crea el Sistema Nacional de Áreas Protegidas.

Héroes y heroínas: guías de valor

Aquí recordaremos a algunos de las principales figuras que lucharon para que nuestro México gozara de libertad y soberanía.

De esta lucha surgieron hombres y mujeres que, de distintos modos, han sido capaces de orientar la acción colectiva hacia la libertad y la justicia. Entre esas personas están héroes patrios como Hidalgo, Allende, Morelos, entre otros; pero también están aquellas mujeres, como Juana de Asbaje, que en el periodo del Virreinato luchó por el derecho a la igualdad.

Los héroes, su memoria y su ejemplo son necesarios para ti, para tu pueblo y para tu patria misma, porque orientan la vida en común.

Juana de Asbaje

A quien tú conoces por el nombre de sor Juana Inés de la Cruz es, por las obras que escribió, una notable fundadora de nuestra patria. La literatura mexicana encuentra en ella el principio de su gloria. En primer lugar, conquistó la lengua y la cultura de España, país del cual en aquel momento éramos colonia, y al mismo tiempo se empeñó en mantener vivo el idioma náhuatl, que es la lengua que hablaban las personas entre las cuales ella pasó su niñez y juventud. Como mujer, es la primera de las mexicanas que combatió por obtener la libertad y la capacidad intelectual que da el estudio, y que en aquel tiempo se negaba a las integrantes de su género.

La Corregidora

La Independencia de México no hubiera podido iniciarse en el momento en que se hizo de no haber sido por el heroísmo de Josefa Ortiz de Domínguez, personaje a quien tú conoces como la Corregidora de Querétaro. En efecto, ella sabía cómo se preparaba el despertar de nuestra independencia y para cuándo se había determinado que ese hecho ocurriera. Enterada de que tal preparación había sido descubierta por los enemigos de la libertad, tuvo manera de comunicar este hecho, de modo que impidió que nuestros héroes fueran sorprendidos y aprisionados y, dándoles aviso del peligro que corrían, hizo posible que, para evitarlo, proclamaran la necesidad de nuestra independencia antes de la hora que se había proyectado.

Miguel Hidalgo

Llamado Padre de la Patria por tener la gloria de ser el iniciador del movimiento de la Independencia. Sus estudios de filosofía y política lo llevaron a creer firmemente en la libertad esencial del ser humano y en la soberanía del pueblo.

José María Morelos

Recorriendo los caminos de su patria como arriero, comprendió la necesidad de cambiar la situación de injusticia en que se vivía. Estudió para superar su pobreza. Su lucha para impulsar nuestra independencia fue militar y cívico-política.

Ignacio Allende
Reconocido como cerebro de la conspiración y brazo de la lucha armada para lograr un país que fuera independiente. Numerosas localidades y escuelas llevan su nombre, y su pueblo natal llámase San Miguel de Allende.

Nicolás Bravo
Nació en Chilpancingo. Se dedicó a labores del campo, en la hacienda de Chichihualco, propiedad de su familia. Ahí recibió a las fuerzas comandadas por Morelos y Galeana, para luego unirse a la lucha de la independencia acompañando a su padre y a un tío. Por su valentía, obtuvo un mando superior tras el Sitio de Cuautla. Los realistas capturaron a su padre y lo ajusticiaron. Tuvo la oportunidad de vengarse fusilando a 300 prisioneros que tenía en su poder, pero no lo hizo; al contrario, les dio la libertad. Este rasgo de generosidad lo elevó, y ganó simpatizantes a la causa de la Independencia. Encabezó en Chapultepec la lucha contra los invasores norteamericanos, y fue presidente de México.

Carlos María de Bustamante
Nació en Oaxaca. Emprendió en 1805 la publicación del *Diario de México*, superando el obstáculo de la censura. Participó en el entusiasmo que despertó en México la noticia del levantamiento de España contra los franceses. Fue uno de los primeros en ampararse en la Constitución de Cádiz para publicar un periódico, *El Juguetillo*. Se unió a Morelos, publicó el *Correo del Sur*, y fue parte del Congreso de Chilpancingo. Escribió una historia de la revolución de Independencia. Puso su pluma y su espada al servicio de la patria.

Hermenegildo Galeana
Se dice de este héroe que, por su valentía en el combate, infundía terror entre los realistas, pero que jamás atacó personalmente a un enemigo por la espalda ni derramó sangre fuera del campo de batalla. Era, con Mariano Matamoros, esencial para la lucha de Morelos, y ejemplo por la limpieza y el arrojo de su lucha por la libertad y la Independencia de México.

Vicente Guerrero

Comandante en jefe del Ejército del Sur por la causa de la Independencia, combatió con firmeza y humanidad. Nació en Tixtla, en el estado que lleva hoy su nombre, en el seno de una familia indígena dedicada al campo. Suya es la frase "La patria es primero", pronunciada cuando el ejército realista le ofreció prebendas para su familia si dejaba las armas.

¿Hay héroes y heroínas anónimos?
¡Cuántas personas deben haber superado el miedo y el interés personal para dar de sí a la patria! ¡Cuántas mujeres han aportado y aportan diariamente a nuestro bienestar! Con todas ellas tenemos deuda de gratitud.

Familia lingüística

↑

Agrupación lingüística

↑

Variante lingüística

Oficios relacionados con el estudio del lenguaje y las lenguas

Averigua con la ayuda de tus maestros, los bibliotecarios y tus padres los oficios relacionados con el estudio de las lenguas: lingüistas, fonólogos, gramáticos, lexicógrafos, etnolingüistas, filólogos, traductores, escritores, entre otros.

Fuente: Instituto Nacional de Lenguas Indígenas (Inali).

¿Qué es una familia lingüística?

Una familia lingüística es un conjunto de lenguas o idiomas que están emparentados por descender de una lengua o idioma común.

El Instituto Nacional de Lenguas Indígenas (Inali) es una institución que estudia y protege las lenguas de México. Después de una investigación, concluyó que en México hay 11 familias lingüísticas de origen indoamericano, lo que muestra que México está entre los 10 países con mayor diversidad lingüística del mundo.

Mira qué bonitos e interesantes están estos libros escritos en diversas lenguas indígenas nacionales de nuestro país. Puedes buscar algunos en la biblioteca de tu escuela.

Conoce una frase importante en varias lenguas de nuestro país.

"México es de todos los mexicanos"

Traducción	Familia lingüística / agrupación lingüística / variante lingüística
úbó' kuríhi, ndi éku kikú̱ mó'osgún ná'í kúmbó̱'n kíní	Oto-mangue/chichimeco jonaz / chichimeco jonaz
jiñi mejiku jinäch lak tyiem lumal	Maya/ch'ol /ch´ol del sureste
guiránu nga xtinu méxicu	Oto-mangue/zapoteco/zapoteco de la planicie costera
tokalpa Mexko towaxka tlen nika tichantih	Yuto-nahua/náhuatl/mexicano de Guerrero
u lu ´umil u méxico ti´al le máax kaajano´do weye´	Maya/maya/maya
kilakan uima kaitiyatna	Totonaco-tepehua/totonaco/ totonaco central del sur
goie' nalɶ oie' nalɶ kie' la jeinsunta' dsa goie'	Oto-mangue/chinanteco/ chinanteco de la sierra
nsa'ña ngatshiña méxico	Oto-mangue/mazateco/ mazateco del norte

Fuente: Instituto Nacional de Lenguas Indígenas (Inali).

México: país "megadiverso"

Por su biodiversidad y sus ecosistemas,
México es un país "megadiverso".
En el mundo existen alrededor de 200 países,
pero tan sólo en 12 de ellos
—Australia, Brasil, China, Colombia, Ecuador, Estados
Unidos, India, Indonesia, Madagascar, México, Perú y la
República Democrática del Congo— se encuentra el 70 % de
la biodiversidad del planeta.
México es uno de los países con mayor diversidad biológica
del mundo, no sólo por poseer un alto número de especies,
sino también por su diversidad genética y de ecosistemas. Se
calcula que en el país se halla entre el 10 y el 12% de las especies
conocidas por la ciencia —ocupa uno de los primeros lugares en
cuanto a plantas, anfibios y reptiles— a pesar de contar con tan sólo
el 1.3 % de la superficie terrestre del planeta. Sólo China e India tienen
mayor diversidad vegetal que México. Nuestro país se distingue también
por un gran número de especies endémicas, es decir, aquellas que sólo
viven aquí y no se encuentran en ningún otro lugar del mundo.

Secretaría de Medio Ambiente y Recursos Naturales

LA BIODIVERSIDAD DE MÉXICO

La fiesta de Chepetlán
(Recuerdo de la guerra de Independencia)

Alegre viste sus galas
el pueblo de Chepetlán,
que está celebrando el día
de la fiesta titular.
¡Cuál repican las campanas
de la iglesia parroquial!
¡Cómo suena el teponaxtle
con monótono compás!
Y cámaras y cohetes
estallan aquí y allá,
y se escucha en todas partes
una algazara infernal.
Por donde quiera enramadas,
en las que vendiendo están
aguas frescas y sandías,
y al son de una arpa tenaz
nativos y forasteros
bailan con dulce igualdad;
se oye la voz estentórea
del que tiene el carcamán,
del otro que lotería
llama a todos a jugar.
Entre los arcos de flores
pasa la brisa fugaz,
templando apenas el fuego
de ardiente sol tropical.
En grupos la muchedumbre
se agita, en constante afán.
ávida de divertirse
anhelando por gozar.
Los hombres, ancho sombrero
y negro, en lo general,
camisa y calzón muy anchos,
muy blancos, y nada más:
las mujeres con enaguas
de extraña diversidad;
y todos ríen y cantan
y llegan, vienen y van,
tomando de cuando en cuando
algún trago de mezcal.

Entre tanto forastero
que ha llegado a Chepetlán
buscando en aquellas fiestas
tener un grato solaz,
se notan muchos soldados
que, con licencia quizá,
de las tropas virreinales
se apartaron, sin pensar
en guerras ni en insurgentes
porque muy lejos están
Guerrero y todos los suyos,
y no hay que temerles ya,
al menos mientras que dure
la fiesta de Chepetlán.

Cuando la tarde se acerca
y el sol declinando está
se escucha rumor extraño
inusitado y marcial,
y la gente se alborota
ya, sin poder explicar
lo que causa aquella alarma
y produce lance tal;
de repente por las calles
sobre un erguido alazán
que tasca el freno impaciente
y echa fuego al respirar,
altivo pero sereno,
llega un hombre cuya faz
se pinta al alma de un bravo
tan noble como leal:
es Guerrero, el indomable
hijo de la libertad;
le sigue valiente tropa
que al pueblo llegando va.
Y se ocultan los que temen
y otros salen a mirar.
Entra Guerrero a la plaza,
y del soberbio animal,
tiempla la rienda y detiene
del seco trote el compás.
Transcurren pocos instantes
y comienzan a llegar
unos y otros, prisioneros
los del bando virreinal.
Todos ellos cabizbajos
y silenciosos están;
Guerrero les mira un rato
y luego con dulce faz
les pregunta: —¿A qué han venido?
y nadie osa contestar.
Vuelve a preguntar Guerrero,
y entonces, saliendo audaz
un sargento, con despejo
contesta: —Mi general,
hemos venido a la fiesta
a gustar de Chepetlán;
y venimos con licencia.
—¿Y nada más? —Nada más.
Vuelve a reinar el silencio,
afable Guerrero está,
y dice con voz pausada:
—Pues vinisteis a gustar,
seguid alegres gustando,
que yo os doy la libertad;
pero mañana, os advierto,
que no os halle por acá
la luz de la madrugada.
—¡Que viva mi general!
—grita entusiasta el sargento.
—¡Viva! —gritan los demás,
y alegre sigue la fiesta
que nada vuelve a turbar;
y chaquetas e insurgentes
siguen con grato solaz,
que es una noche de gusto
esa noche en Chepetlán.

Vicente Riva Palacio
(1893-1896)

Museo escolar

Desde tiempos de la Independencia en nuestro país se impulsó la organización de museos que sirvieran para impulsar el aprendizaje a la vez que reforzar la identidad local y nacional de las escuelas y sus alumnos.

Mediante el museo escolar que organicen y cuiden juntos tus compañeros y maestros, aprenderán algunos principios para conservar y proteger el patrimonio natural y cultural del lugar donde vives.

El museo escolar puede convertirse en un centro cultural y de investigación para la comunidad educativa, y puede ser la base para desarrollar diferentes actividades de aprecio y cuidado de su patrimonio, como son investigaciones, talleres y conferencias que realicen tú y tus maestros.

Recuerda que también la producción artesanal, industrial y agrícola regional es muy valiosa, y que es importante que la vayas conociendo y apreciando. Puedes coleccionar objetos relacionados con esa producción.

Pasos para crear un museo escolar

1° Seleccionar el lugar.
2° Integrar un consejo.
3° Establecer el sentido de la colección.
4° Conseguir las piezas.
5° Elaborar cédulas informativas para cada pieza.
6° Clasificar cada pieza.
7° Colocarlas y montarlas para su exhibición.

- Intercambien colecciones entre aulas y escuelas.
- Visiten los museos de la localidad. El personal del Instituto Nacional de Antropología e Historia con gusto los orientará.

Instituto Nacional de Antropología e Historia

Comprensión

¿Cómo comprender lo que sucede a tu alrededor y actuar con ayuda de la ciencia?

Un ejemplo:

1. Identifica un problema de tu interés. Así, habrás oído decir a las personas que no hay suficiente agua, o que los bosques se están acabando, o que existen especies en peligro de extinguirse, o que hay mucha basura o contaminación.

2. Pide orientación. Tus maestros o los bibliotecarios te orientarán sobre estos problemas particulares, diciéndote que son casos específicos de una dinámica más general. En este caso el problema general se llama "deterioro ambiental", un aspecto de la sociedad contemporánea que requiere de comprensión crítica y acción individual y colectiva.

   Tus maestros te dirán que la institución que se ocupa del ambiente en México es la Secretaría de Medio Ambiente y Recursos Naturales.

3. Identifica las fuentes de información confiables.

4. Investiga e identifica conceptos que te ayuden a entender lo que pasa. Busca información en la biblioteca, en periódicos y en Internet. Acaso encuentras un concepto interesante, por ejemplo: la "huella ecológica" del ser humano.

   Lee la información y comprende, en resumen, que la huella ecológica es la superficie necesaria —tanto terrestre como marina— para producir los alimentos y otras materias primas que requerimos, así como para absorber nuestros desechos, generar la energía que consumimos y proveer del espacio para caminos, edificios y otro tipo de infraestructura. Se mide en hectáreas.

   La huella ecológica también puede ser calculada para cada país según sus necesidades y los recursos naturales que posee. Con base en ello, podemos saber cuáles países tienen un "déficit" en su huella ecológica —es decir, la superficie que requieren para satisfacer sus necesidades es mayor que la que pueden ofrecer sus territorios— y aquellos que tienen la superficie necesaria para abastecer a su territorio, o "crédito". El déficit nos dice que un país no se está desarrollando de manera sustentable. Busca en tus libros de Ciencias Naturales a qué se refiere el término "sustentable".

5. Ahora analiza la dinámica que escogiste a la luz de los conceptos que estudiaste. Seguramente, los verás con ojos nuevos y tendrás mejores ideas sobre cómo actuar.

Consulta el cuadro de familias lingüísticas e identifica cuál o cuáles corresponden al lugar donde vives. Escríbelas aquí.

....

....

Busca alguna persona que hable una lengua de nuestro país que tú no entiendas, y pídele que te enseñe a decir algunas frases simples como:

1. ¿Cómo te llamas? ....

2. Yo me llamo... ....

3. Vivo en... ....

Pregúntale sobre su lengua, y escribe aquí lo que aprendiste.

....

....

....

....

....

Busca la letra de una canción, un poema o una leyenda en una lengua originaria de México. Sírvete de la Biblioteca de Aula.

....

....

....

....

....

....

....

Lee el poema "La fiesta de Chepetlán". Analiza qué aspectos y valores de la celebración y de la localidad se ponen de manifiesto.

	En Chepetlán	**En mi localidad u otra que conozco** (escribe su nombre) ....
¿Cómo se celebra?		
¿Quiénes participan?		
¿Cómo se visten?		
Identifica algunos juegos.		
¿Qué valores se comparten?		

Colorea este amate de Xalitla, Guerrero.

¿Adónde va la basura?

1. Observa durante un día cuánta basura se genera en tu casa.

2. Recuerda que debes separar la basura orgánica (papel y restos de comida) e inorgánica (vidrio, plástico, metal).

a) Dibuja los desechos que hay en el bote de basura de tu casa.

b) Ahora clasifica los desechos en órganicos e inorgánicos.

Orgánico	Inorgánico
....	....
....	....
....	....
....	....
....	....
....	....
....	....
....	....

Orgánico

Inorgánico

3. Calcula, con ayuda de una persona adulta, el peso aproximado de los desechos que clasificaste.

4. Anota el peso aquí. ....

5. ¿Puedes calcular aproximadamente cuánta basura se genera en tu casa en un mes?

....

Reflexiona y contesta.

Observa el siguiente dibujo y con ayuda de la información que se presenta contesta:

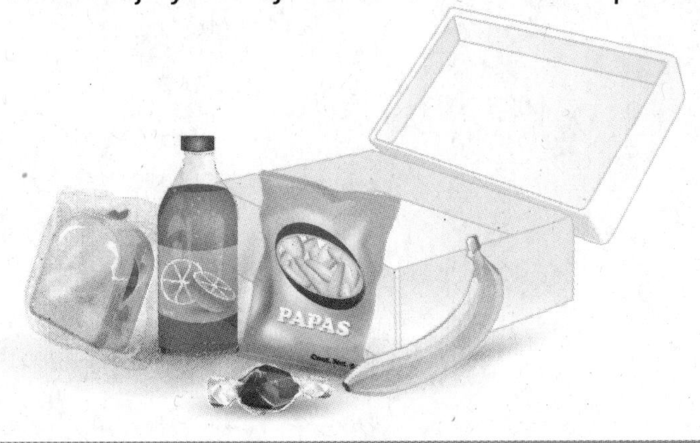

* Para tu suma contabiliza la mitad del tiempo.

¿Cuánto tiempo tardaría en degradarse en un bosque, de manera natural, la basura que se genera en esta lonchera?

Tardaría en degradarse: ___________

¿Cómo cambiarías el contenido de esta lonchera para hacerla más nutritiva y ecológica? Dibújalo.

Fuente: www.semarnat.gob.mx/estados/morelos/documents/TRIPTICOS/cuanto%20tardan.pdf

Visita la plaza cívica del lugar donde vives y dibújala.

¿Desde cuándo está ahí? Revisa si hay algún monumento o placa que te dé una pista. Puedes consultar diversas fuentes de información tales como tradición oral, periódicos, libros sobre la historia de tu entidad federativa o Internet.

Investiga acerca de la vida de los héroes y las heroínas que se recuerden en tu localidad en esta plaza. Escribe un pequeño texto donde reflexiones sobre los valores que promovió cada uno.

....

....

....

....

¿Qué usos tiene la plaza cívica del lugar donde vives?

....

....

....

....

Autoevaluación

Escoge una respuesta y colorea el pez.

S Siempre 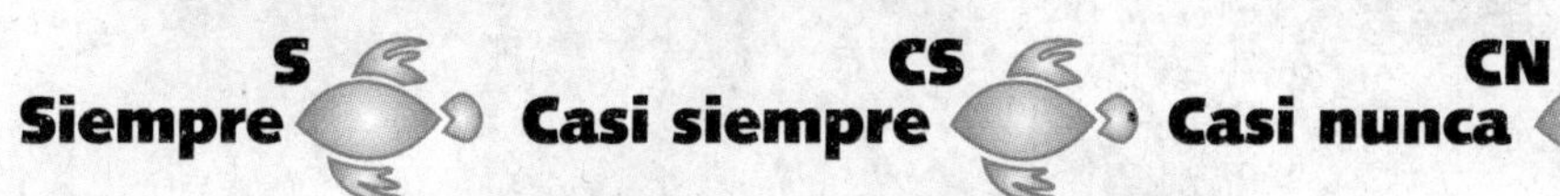  CS Casi siempre  CN Casi nunca  N Nunca

En la escuela, con mis maestros y mis compañeros

Valoro las tradiciones de mi entidad federativa y de México.

S  CS  CN  N 

Muestro aprecio por las manifestaciones culturales de las personas indígenas, como su lengua.

S  CS  CN  N 

Defiendo la igualdad de oportunidades para mujeres y para hombres.

S  CS  CN  N 

Identifico acciones de discriminación en la escuela.

S  CS  CN  N 

Respeto los símbolos patrios en las ceremonias cívicas.

S   CS   CN   N 

En mi casa, en la calle y otros lugares

Demuestro interés por conocer lugares que dan testimonio de nuestra historia y riqueza cultural.

S  CS  CN  N 

Trato con respeto a todas las personas.

S  CS  CN  N 

Participo en actividades de todo tipo sin establecer diferencias injustas entre hombres y mujeres.

S  CS  CN  N 

Rechazo la discriminación contra personas indígenas del país.

S  CS  CN N 

Procuro producir poca basura.

S CS CN   N

¿En qué puedo mejorar? ....

....

Bloque 4

México y sus leyes

Con el aprendizaje y la práctica podrás:

- Reconocer que la Constitución Política de los Estados Unidos Mexicanos establece el derecho de las personas, y las instituciones.
- Identificar los principios que establece la Carta Magna para conformar el gobierno democrático y valorar el papel de las autoridades representativas.
- Conocer el trabajo de las autoridades de la localidad, el municipio y la entidad.

Platiquemos

Las personas pueden ser muy distintas entre sí o tener ideas diversas, comportarse de maneras diferentes y habitar en lugares con características ambientales propias. Así, para vivir en sociedad, necesitamos leyes que establezcan lazos y normas para todos. Las leyes sirven para ordenar una adecuada vida social.

La Constitución Política de los Estados Unidos Mexicanos, la norma fundamental y suprema, o ley de leyes de nuestro país, garantiza los derechos de todas las personas. Protege de manera especial los derechos de las niñas y de los niños, como son el derecho a la educación, a la alimentación, a la salud y a la seguridad, para su desarrollo integral. La Constitución Política es la ley más importante y en ella se basa cualquier otro ordenamiento.

Las personas pueden tener ideas diferentes acerca de lo que es justo o injusto. Conocer los derechos de las personas te ayuda a saber cuándo una situación es injusta. Estos derechos están garantizados en nuestras leyes y son iguales para todos.

En nuestro país, las leyes protegen también a los animales y a las plantas. Conoce y cuida las especies que viven en tu medio.

Águila real
(Aquila chrysaetos)
Amenazada

Al actuar debemos respetar los derechos de los demás y promover que todos tengan la oportunidad de disfrutar de ellos. Sólo así podremos exigir que otros respeten los tuyos y te den la oportunidad de disfrutarlos. La ley marca sanciones para quien no la cumple o no respeta los derechos de otros.

Las obligaciones son la otra cara de los derechos. Para que los derechos de cada uno estén protegidos, todos deben respetar los derechos de los demás y cumplir sus obligaciones. Las autoridades deben respetar los derechos de los ciudadanos y llevar a cabo acciones para que se respeten y cumplan.

En otras épocas, las personas que cometían un delito quedaban fuera de la protección de la ley. Ahora reconocemos que todas las personas tienen igual valor y dignidad, por lo que también quien comete un delito, y pierde su libertad por ello, merece trato digno y el respeto de sus derechos.

Tucán pico canoa
(Ramphastos sulfuratus)
Amenazado

Teporingo
(Romerolagus diazi)
En peligro de extinción

La Constitución Política de los Estados Unidos Mexicanos, promulgada en 1917 y vigente hasta hoy, establece los principios del gobierno democrático: el respeto de los derechos humanos, la división de poderes y la realización de elecciones libres y periódicas de nuestros representantes. Además, ahí se fijan los cuatro elementos de todo Estado: pueblo, territorio, gobierno y soberanía.

En nuestra Constitución Política los derechos humanos son protegidos por las garantías individuales que se contienen, en lo fundamental, aunque no únicamente, en sus primeros 29 artículos.

El principio de la división del poder implica que el poder político se ejerce a través de tres poderes —Ejecutivo, Legislativo y Judicial—. Estos tres poderes se limitan entre sí, y sólo pueden hacer lo que define expresamente la Constitución Política. El Poder Legislativo elabora y modifica las leyes; el Poder Ejecutivo las materializa, vigila su cumplimiento y administra los recursos nacionales, y el Poder Judicial las interpreta para resolver conflictos.

El principio de la soberanía del pueblo implica que es éste el que manda.

Lagarto alicante de Zempoaltepec
(Abronia fuscolabialis)
Sujeto a protección especial

En una sociedad tan grande como la nuestra es imposible participar todos de forma directa; nuestro sistema democrático permite la inclusión de los diversos grupos sociales a través de representantes. Esta representación se logra por medio del voto y da como resultado autoridades que llevan a sus órganos los distintos intereses y puntos de vista de los ciudadanos.

Es importante dar valor justo al papel de las autoridades representativas en la vida social y el desarrollo de proyectos colectivos, porque las autoridades que hemos decidido que nos representen tienen un papel importante en la sociedad: deben llevar los puntos de vista e intereses de los distintos grupos a proyectos colectivos.

Un proyecto colectivo debe ser resultado de la utilización de mecanismos participativos. Es conveniente que cuando en una sociedad haya problemas e intereses comunes, éstos se atiendan y obtengan respuesta también de manera común, con acciones de participación sustentada en valores como la libertad, la tolerancia y el respeto.

Guacamaya verde
(Ara militaris)
En peligro de extinción

Lagartija escamosa de Adler
(Sceloporus Adleri)
En peligro de extinción

El gobierno de nuestro país está constituido por diversas autoridades en distintos niveles. El municipio es el ámbito de gobierno más pequeño y próximo al ciudadano. Los estados están formados por los municipios y tienen su propio gobierno, también dividido en tres poderes. La unión de estados y el Distrito Federal forman la Federación, cuyo gobierno representa a todos los mexicanos.

Votar es un procedimiento democrático que permite elegir libremente entre varias alternativas. Como representantes del pueblo, las autoridades políticas deben tomar en cuenta las opiniones de los ciudadanos y la sociedad en general, ya que son elegidas mediante el voto ciudadano.

Nuestra Constitución Política establece los principios para la conformación del gobierno democrático. Determina como principios básicos el sistema representativo, la división del poder y el principio de legalidad, así como el respeto y ejercicio de los derechos fundamentales de todos los mexicanos.

Mono araña
(Ateles geoffroyi)
En peligro de extinción

Oso hormiguero
(Tamandua mexicana)
En peligro de extinción

La Constitución Política puede modificarse, pero ella misma señala cómo hacerlo. Sus disposiciones pueden variar si así lo aprueban las dos terceras partes de los integrantes del Congreso General y la mayoría de las legislaturas de los estados de la Unión.

Ya hablamos de lo que se entiende por sistema representativo y la división del poder, así como del ejercicio de los derechos fundamentales. Expliquemos ahora la legalidad como un principio jurídico en virtud del cual los ciudadanos y todos los poderes públicos están sometidos a las leyes y al derecho.

Entre los derechos que nos otorga la Constitución Política está el de conocer cómo trabajan las autoridades. Para eso todas las personas tenemos el derecho de solicitar directamente a nuestras autoridades información puntual sobre su actuación y el uso de los recursos públicos. Recordemos que los servidores públicos trabajan en beneficio de la sociedad y por eso están obligados a informar sobre el uso de los recursos públicos y sobre el cumplimiento de los programas de gobierno.

Chara pinta
(Cyanocorax dickeyi)
En peligro de extinción

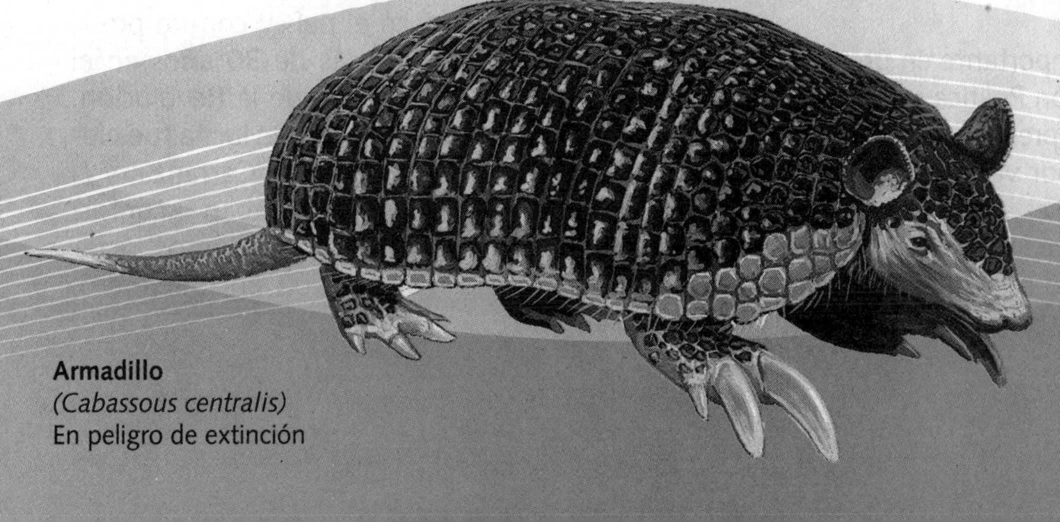

Armadillo
(Cabassous centralis)
En peligro de extinción

La Constitución

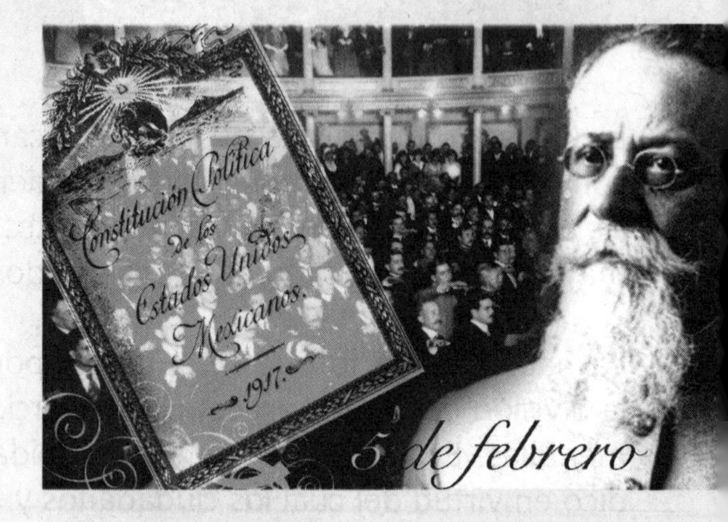

Las personas siempre hemos vivido en sociedad para cuidarnos, trabajar, construir nuestras ciudades, divertirnos, formar familias; en fin, porque necesitamos vivir juntos.

Pero vivir juntos no es fácil; convivir provoca problemas por las diferentes formas de pensar, de opinar, porque a cada individuo le gustan cosas distintas y porque algunas personas pudieran intentar aprovecharse de otras.

Una de las cosas que las personas hemos hecho para poder vivir juntas de la mejor manera posible son las leyes. Éstas son normas de conducta que dicen lo que se puede hacer y lo que está prohibido en todos los ámbitos de nuestra vida. Se aplican a todos por igual y son obligatorias.

Por estas razones hay gran diversidad de leyes, como por ejemplo las que norman el comportamiento de las personas que conducen automóviles (reglamento de tránsito), o el de las personas que integran la comunidad escolar (el reglamento de la escuela), también las que nos dicen cómo debemos actuar en el salón de clase (reglamento del salón), o las que les dicen a tus padres que deben pagar impuestos (leyes fiscales), cómo integrar una familia (ley familiar), la manera de comprar cosas (leyes civiles y mercantiles) o aquellas conductas que se consideran delito (ley penal).

La ley más importante en una sociedad es la Constitución Política y por eso se le llama la "ley suprema" de un país. Es la más importante por varias razones: en primer lugar, porque es la primera de todas las leyes que se crean, es decir, ella va a decir quién y cómo se van a crear otras leyes. En segundo lugar, porque es la que establece los principios básicos de la vida social a partir de los llamados derechos fundamentales. En tercer lugar, la Constitución es la ley suprema porque determina nuestro territorio y la forma en que nos vamos a gobernar.

Cada país cuenta con una constitución política. En ella se dice cuáles son sus fronteras, su forma de gobierno, las libertades de sus habitantes, así como sus obligaciones principales.

Es importante que conozcamos nuestra Constitución Política actual. A lo largo de nuestra historia hemos tenido varias. La que nos rige se escribió en 1917.

En 1910 hubo una guerra entre mexicanos: la Revolución Mexicana. Había grupos que no estaban contentos con lo que estaba pasando en el país y con un presidente que llevaba más de 30 años en el poder. Ése fue el origen de la Revolución. Después de algunos años de lucha fue elegido presidente Venustiano Carranza, y él llamó a los grupos que estaban inconformes para decidir qué hacer. Juntos hicièron la nueva Constitución en Querétaro, en 1917.

¿Qué dice nuestra Constitución Política?

Nuestra Constitución Política habla de cosas muy importantes para todos nosotros, por ejemplo:

Nuestros derechos fundamentales

Para los mexicanos todas las personas somos libres e iguales ante la ley, no importa nuestra edad, si somos hombres o mujeres, si pertenecemos a una comunidad indígena o religiosa, o si tenemos alguna discapacidad; tampoco importa nuestra situación económica. La Constitución Política establece que no debe haber esclavos y que nadie puede tener títulos de nobleza.

➾ Arts. 1 y 4, primer párrafo, y art. 12

Tenemos derecho a creer, pensar y expresarnos libremente.

➾ Art. 6

Tenemos derecho, especialmente los niños, a la educación, a la salud, a vivir en un medio ambiente sano, a la alimentación, a tener un lugar digno donde vivir y al esparcimiento.

➾ Arts. 3 y 4, párrafos tercero, cuarto y sexto

Cuando somos adultos tenemos derecho a trabajar y a formar nuestra familia.

➾ Arts. 4, segundo párrafo, y 5, primer párrafo

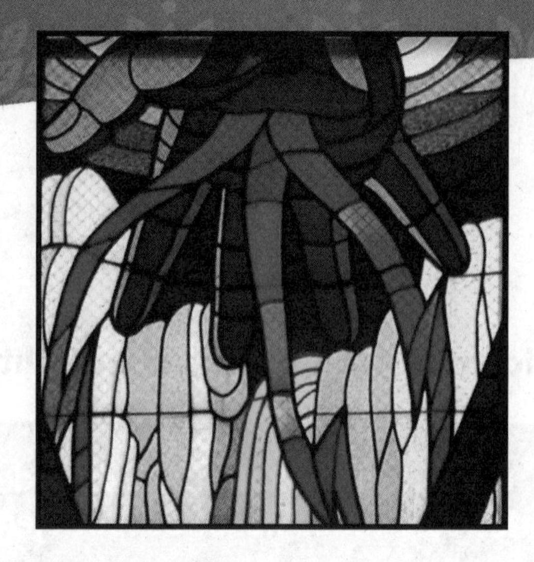

El artículo 123 regula constitucionalmente todas las cuestiones del derecho del trabajo. Se establece que la jornada del trabajo máxima será de ocho horas, y que la jornada máxima de trabajo nocturno será de siete horas. Además, quedan prohibidas las labores insalubres o peligrosas, el trabajo nocturno industrial y todo otro trabajo después de las diez de la noche, de los menores de 16 años. Asimismo, se establece que queda prohibida la utilización del trabajo de los menores de 14. Sin embargo, los mayores de esta edad y menores de 16 tendrán como jornada máxima la de seis horas.

Art. 123, apartado A, f. I, II y III

Tenemos derecho a transitar libremente por nuestro país.

Art. 11

Cuando se da un problema que tiene que ser resuelto por un juez, tenemos derecho a que este juicio sea justo; por ejemplo, que todos los que acusan y los que se defienden sean escuchados, que puedan presentar las pruebas que consideren convenientes y se decida de acuerdo con lo que establece la ley, en igualdad de circunstancias.

Art. 16, párrafo primero, segundo y tercero; art. 17, párrafo segundo, y art. 20

Con 18 años cumplidos, tenemos derecho a elegir a las personas que nos van a representar para gobernar, así como también que nos elijan a nosotros.

Art. 34, f. I, y art. 35, f. I y II

Nuestro territorio y nuestros recursos naturales

Nuestra Constitución Política nos dice en dónde empieza y dónde termina México, es decir, nuestras fronteras; cuáles son nuestros ríos, nuestros mares, nuestras montañas y espacio aéreo, nuestras islas, nuestros lagos, nuestros recursos naturales, y cómo podemos usarlos y cuidarlos. Esto se vuelve muy importante cuando pensamos en los recursos naturales que se utilizan para generar energía, tales como el agua, el gas y el petróleo.

Arts. 42 y 27

El artículo 27 constitucional establece los elementos que constituyen la propiedad de la nación. Se establece que la propiedad de las tierras y aguas comprendidas dentro de los límites del territorio nacional corresponde originariamente a la nación, la cual ha tenido y tiene el derecho de transmitir el dominio de ellas a los particulares, constituyendo la propiedad privada.

Art. 27, primer párrafo

Nuestro país se llama "Estados Unidos Mexicanos", porque somos una federación; es decir, unión de 31 estados y un Distrito Federal, las llamadas entidades federativas.

Art. 43

Cuando actuamos todos juntos actuamos como federación, pero también cada entidad federativa puede hacer cosas y actuar de manera independiente.

Art. 121, f. I

Sin embargo, es importante que todas las leyes de los estados y sus constituciones respeten lo que dice nuestra Constitución Federal, de la que hemos venido hablando, la de 1917, la que surgió del movimiento revolucionario.

Art. 40

Entonces, en un gobierno como el nuestro, una república federal, cada estado tiene su Constitución, pero todos juntos tenemos la Constitución Federal.

Art. 40

Nuestro gobierno

Nuestra Constitución Política habla también de nuestro gobierno. En México tenemos una forma de gobierno que se llama "república representativa, democrática y federal."

Art. 40

Somos república porque decidimos que los gobernantes duren sólo un periodo y no toda la vida, como sucede en los países donde existen las monarquías.

Art. 59

Tenemos un gobierno democrático y representativo porque todos participamos, aunque de manera indirecta, a través de representantes.

Art. 41

Tenemos el derecho y la obligación de elegir a las personas que nos representarán para tomar las decisiones de todos y gobernar, y de esta forma todos participamos en las decisiones.

Arts. 35, f. I y II, y 36, f. III, IV y V

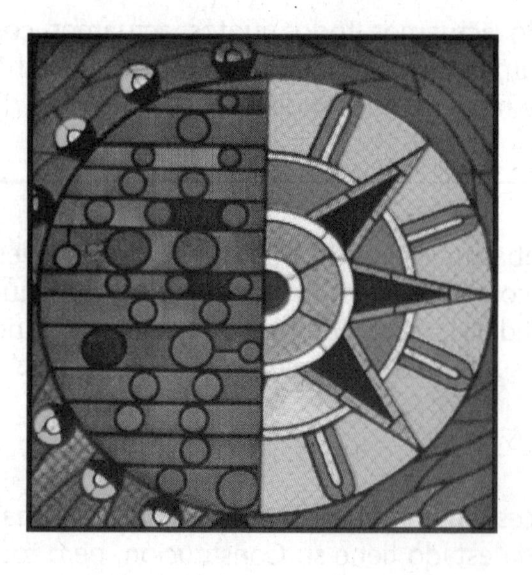

Nuestros gobernantes, su actuación y sus límites

Algunas veces los que gobiernan han usado su fuerza y su poder para aprovecharse de las personas. Esto es algo que en nuestra sociedad queremos evitar; por eso, la Constitución Política dice claramente qué puede y qué no puede hacer una autoridad pública.

Arts. 16, 18, 19, 20, 21, 22 y 23

Una autoridad pública siempre debe respetar la Constitución en todas sus partes, especialmente lo que se refiere a nuestros derechos fundamentales, y si no lo hiciera, podemos denunciarla ante quien corresponda y en la forma que la propia Constitución dice.

Arts. 102, inciso B, 103 y art. 107

El poder para decidir y gobernar que una sociedad da a sus gobernantes es tan grande, que no es bueno que una sola persona o grupo de personas lo tengan todo. Esto sería un poder ilimitado y excesivo, como un gran monstruo que nadie podría controlar. Por ello, nuestra Constitución Política dice que en México el ejercicio del poder se divide. En primer lugar, se divide a través de las diferentes funciones que los gobernantes llevan a cabo, principalmente la legislativa, la administrativa o ejecutiva y la judicial.

Art. 49

También se divide el ejercicio del poder a partir del lugar donde a cada gobernante le toca decidir y actuar: algunos en todo el territorio, como son los órganos de la Federación; otros, en los estados; unos más, en los municipios.

Arts. 49, 115 y 116

El municipio se encuentra regulado constitucionalmente en el artículo 115. Precisamente, el municipio es la base de la división territorial y de la organización política y administrativa de los estados de la Federación.

Art. 115, primer párrafo

Es importante recordar que las autoridades sólo pueden actuar en el espacio y con las funciones en donde están autorizadas por la ley.

Arts. 14 y 16

Nuestro presidente: Poder Ejecutivo

El Poder Ejecutivo en nuestro país se deposita en una persona, la cual se denomina "presidente de los Estados Unidos Mexicanos".

Art. 80

De acuerdo con nuestra forma de gobierno representativa y democrática, nuestro presidente es elegido de manera directa por todos los ciudadanos mexicanos.

Art. 81

Para ser presidente de México, son requisitos ser mexicano por nacimiento y tener más de 35 años de edad, entre otros. En nuestro país, un presidente nunca puede volver a serlo.

Arts. 82 y 83

El trabajo más importante del presidente es representar a México en el exterior, promulgar y ejecutar leyes, proponer a los ministros de la Suprema Corte de Justicia y preservar la seguridad nacional. El artículo 89 de la Constitución establece las facultades y obligaciones del presidente de la República.

Art. 89

En cada estado de la República, el poder ejecutivo lo ejerce un gobernador, y en cada municipio un presidente municipal.

Arts. 115, f. I, y 116, f. I

Nuestros diputados y senadores: Poder Legislativo

El Poder Legislativo se deposita en el Congreso Federal, el cual se divide en dos cámaras, la de Diputados y la de Senadores.

Art. 50

La Cámara de Diputados se compone de representantes que se eligen en su totalidad cada tres años. La integran 500 diputados.

Arts. 51 y 52

La Cámara de Senadores se integra por 128 senadores, y se renueva en su totalidad cada seis años.

Art. 56

Para ser diputado se necesita ser mexicano por nacimiento y tener por lo menos 21 años de edad.

Art. 55

Para ser senador se requiere ser mexicano por nacimiento y tener por lo menos 25 años de edad.

Art. 58

En cada estado de la República existe una cámara de diputados a la que se le llama Congreso Local. En los municipios, esta función la realizan los Ayuntamientos.

Arts. 115, f. I, y 116

Nuestros jueces: Poder Judicial

El Poder Judicial Federal se deposita en la Suprema Corte de Justicia, en el Tribunal Electoral, en Tribunales Colegiados y Unitarios de Circuito, y en Juzgados de Distrito.

Art. 94, f. I

Para ser ministro de la Suprema Corte de Justicia se necesita, entre otras cosas, ser mexicano por nacimiento, tener por lo menos 35 años de edad, y tener título de licenciado en derecho cuando menos 10 años antes de la designación.

Art. 95

Los ministros son nombrados por los senadores a partir de una propuesta de tres personas que hace el presidente de la República.

Art. 96, párrafo primero

La principal tarea de los ministros es resolver los conflictos entre los particulares o entre éstos y el gobierno, interpretando la ley y emitiendo sentencias.

Art. 94

El Tribunal Electoral atiende los conflictos que surgen de las elecciones de los representantes populares.

Art. 99

En cada estado de la República existe un Tribunal Superior de Justicia, juzgados de primera instancia y juzgados menores que llevan diferentes nombres.

Art. 116, f. III

Existen otros organismos que también nombra y describe la Constitución Política, y que no forman parte ni del Poder Ejecutivo ni del Legislativo ni del Judicial, pero son muy importantes; por ejemplo, las comisiones que protegen y promueven los derechos humanos pueden ser estatales o federales.

Art. 102, inciso B

También se encuentran en este caso los institutos y las comisiones federal y estatales que se encargan de organizar las elecciones y promover la cultura de la democracia, como son el Instituto Federal Electoral (IFE) o los institutos electorales de las entidades federativas.

Art. 116, f. IV

El Ejército, la Armada y la Fuerza Aérea

En México, el presidente de la República es el comandante supremo de las Fuerzas Armadas. Esto quiere decir que, para proteger a nuestra nación y muchas veces para ayudar a las personas en casos de desastre, el presidente de la República tiene el poder y la obligación de comandar a nuestras fuerzas armadas, y éstas tienen como principal tarea proteger a todos los mexicanos y nuestro territorio.

Art. 89, f. IV, V, VI y VII

¿Las constituciones siempre son iguales o pueden cambiar?

Tú ya debes imaginarte la respuesta a esta pregunta. Así como las sociedades cambian, las constituciones también cambian, porque las personas y las ideas también. Sin embargo, para cambiar la Constitución Política hay que hacer muchas cosas. No es fácil, y esto es bueno, porque así se protege nuestra sociedad contra alguien o contra algún grupo de personas que quisiera poner en la Constitución Política aquello que sólo a ellos les conviene, y sin preguntarnos qué cambios serían convenientes para todos.

Por esto, el proceso de modificación constitucional es un proceso "calificado", lo que quiere decir que sólo se puede realizar cuando están de acuerdo dos terceras partes de los diputados y los senadores, y la mayoría de los congresos locales.

Art. 135

La Constitución establece una serie de mecanismos para restaurar el orden jurídico que ella determina. El más conocido es el juicio de amparo.

Defensa de la Constitución Política

La Constitución Política, por ser la ley más importante de todas, necesita ciertos mecanismos que la cuiden, que la protejan en contra de posibles intentos para cambiarla sin que todos estemos de acuerdo. Uno de ellos es el mecanismo que acabamos de mencionar para transformarla o reformarla.

Pero existe otro muy importante, que se conoce como "tribunal constitucional". Se trata de un tribunal que se encarga de revisar todos los casos en donde existen leyes que pudieran establecer normas que se opongan a lo que establece la Constitución Política. Sólo este tribunal determina cuándo una ley o un acto de gobierno es inconstitucional. En México este tribunal es la Suprema Corte de Justicia de la Nación.

Art. 94

Es posible que con lo que has leído hasta ahora puedas comprender que la Constitución Política es la ley más importante de nuestro país, porque contiene los principios básicos, derechos fundamentales, límites a la actuación del gobierno y sistema representativo. Por eso, todas las demás leyes se supeditan a ella, y todas las personas tenemos que conocerla y respetarla.

Instituto Federal Electoral,
Dirección Ejecutiva de Capacitación Electoral y Educación Cívica

Correspondencia escolar

Se habla de "ponerse en el lugar" de otro para comprenderlo, para ver y sentir las cosas como ella o él las ven. La mejor manera de hacer esto es mediante el lenguaje. Con plática, preguntas, atención y diálogo franco, las personas podemos comprendernos unas a otras.

¿Y cómo comunicarnos con personas que están lejos? Enviamos cartas. Las cartas en papel se envían a través del servicio postal. Si las escribes en la computadora, se pueden enviar por Internet.

Con ayuda de tu maestra o maestro, tu grupo puede escribir a niñas y niños de otra escuela, cercana o lejana, incluso de otro país. En la computadora puedes platicar con otros niños sobre cómo viven, qué estudian, cómo participan en su escuela y otros asuntos de su interés.

Te transcribimos una carta real de un niño. Comprenderás algunos aspectos de la vida de quien la envía y de quien la recibe. Tal vez te preguntarás si las condiciones en que viven son justas o injustas. Deberás saber que alrededor de 750 mil niños y jóvenes de nuestro país viven como jornaleros agrícolas migrantes, solos o con sus familias.

Hola amigo:

¿Cómo has estado? Yo y mis compañeros leímos tu texto. Somos de Atexcatitla y espero que algún día vengas a visitarnos con tu papá, el señor Zenón.

Dice el periódico que tú hablas mixe en tu pueblo, español en México e inglés en California. Nosotros en mi comunidad hablamos náhuatl. Espero que vengas acá un día a visitarnos.

Espero que te den ganas de regresar a tu comunidad. Te mando esta carta para que no olvides. Yo me llamo Roberto Carlos Puerto Pérez, Atexcatitla, Veracruz

Razonamiento ético

Razonar éticamente es considerar tus valores para justificar tus actos. Entre otros valores deben estar la justicia, la solidaridad, la verdad y la consideración hacia las otras personas.

Tanto hombres como mujeres se enfrentan en su vida a grandes y pequeños problemas que a veces requieren que se elija un valor sobre otro; por ejemplo, ¿qué es más importante: la justicia o la lealtad? Ambos son importantes, por lo que se necesita analizar las cosas y pensar cómo actuar.

Analicemos este ejemplo:

La escuela recibe la convocatoria de la Secretaría de Marina para el concurso "El niño y la mar". Un gran número de compañeros se entusiasma y se esfuerza para presentar un dibujo. Cuando el comité elige el que le parece mejor para representar a la escuela en el concurso nacional, tú te das cuenta que el dibujo ganador fue hecho por el tío de tu amiga, quien lo presentó como si fuera suyo. ¿Qué haces? ¿Es justo no decir nada? ¿Qué pasaría si hablas con tu amiga al respecto?

La solución a problemas como éste no depende únicamente de sopesar justicia y lealtad, sino también de reflexionar, argumentar y dar razones de tu decisión, tomando en cuenta el contexto y los efectos de tu acción sobre los demás.

Consulta el texto "¿Qué dice nuestra Constitución Política?", y relaciona con una línea las dos columnas.

1. Edad mínima para que una persona pueda ser contratada para trabajar	**Tribunal Electoral**
2. Edad requerida para ser presidente de la República	**El presidente de la República**
3. Estudios necesarios para ser ministro de la Suprema Corte de Justicia de la Nación	**14 años**
4. Resuelve problemas que surgen del proceso electoral	**25 años**
5. Representa a nuestro país en el exterior	**Ministros de la Suprema Corte**
6. Edad mínima para ser electo como senador	**35 años**
7. Son propuestos por el presidente de la República	**Licenciado en Derecho**

Este artículo da inicio a nuestra Constitución Política. Si lo lees, encontrarás importantes conceptos para la vida social.

"**Artículo 1.** En los Estados Unidos Mexicanos todo individuo gozará de las garantías que otorga esta Constitución, las cuales no podrán restringirse ni suspenderse, sino en los casos y con las condiciones que ella misma establece.

Está prohibida la esclavitud en los Estados Unidos Mexicanos. Los esclavos del extranjero que entren al territorio nacional alcanzarán, por este solo hecho, su libertad y la protección de las leyes.

Queda prohibida toda discriminación motivada por origen étnico o nacional, el género, la edad, las discapacidades, la condición social, las condiciones de salud, la religión, las opiniones, las preferencias, el estado civil o cualquier otra que atente contra la dignidad humana y tenga por objeto anular o menoscabar los derechos y libertades de las personas."

Subraya las ideas principales y dibuja una escena en la que se ilustre la igualdad.

Piensa y contesta.

¿Cómo protege nuestra Constitución a los menores que trabajan?

....

....

....

....

....

....

....

....

....

¿Por qué necesitamos la Constitución Política?

....

....

....

....

....

....

....

....

¿Cuáles son las funciones del presidente de la República?

....

....

....

....

....

....

....

....

....

....

Trato justo

Observa cómo se relacionan tus compañeras y tus compañeros, y describe el comportamiento de alguien que te parezca da trato justo y respetuoso a todos.

....

....

....

....

....

Si observaste tratos injustos, descríbelos aquí y dibuja aquí una alternativa que sea justa.

Lee "Razonamiento ético", en la sección "Para hacer", y analiza el comportamiento que describes. Escribe una carta respetuosa al compañero o compañera cuyos actos no te parezcan justos. También puedes escribirte la carta a ti mismo, si te das cuenta de que es conveniente cambiar porque no estás dando trato justo a alguien.

Completa este esquema.

División del poder político en la democracia

Poder	Poder	Poder
____________	____________	____________

Imagina que tú eres el gobernador de tu entidad federativa, ¿qué harías para mejorar las condiciones de vida de las niñas y los niños de allí?

....
....
....
....
....
....
....
....
....
....
....
....
....

Autoevaluación

Escoge una respuesta y colorea el pez.

S Siempre  CS Casi siempre  CN Casi nunca  N Nunca 

En la escuela, con mis maestros y mis compañeros

Cumplo las normas del salón y de la escuela.

S  CS  CN  N 

Acepto que se me apliquen sanciones cuando no cumplo las normas de la escuela.

S  CS  CN   N 

Ejerzo los derechos que me otorga la Constitución Política.

S  CS  CN  N 

Rechazo las actitudes injustas que dañan la dignidad de compañeras y compañeros.

S  CS  CN   N 

Distingo cuáles son las funciones de las autoridades de mi localidad, municipio y entidad.

S  CS  CN  N 

Señalo actos en que mis derechos no están siendo respetados.

S  CS  CN  N 

En mi casa, en la calle y otros lugares

Respeto las normas, como no tirar basura y no rayar las bardas de mi localidad.

S  CS  CN  N 

Reconozco que hay leyes de mi localidad que me protegen y me señalan mis obligaciones.

S  CS  CN  N 

Acepto que se sancione a personas que no cumplen con las normas y leyes de mi localidad, pero sin violar su dignidad humana.

S  CS  CN  N 

Cumplo las obligaciones que me corresponden, como respetar a mis padres y estudiar.

S  CS  CN  N 

Promuevo que mi familia tome decisiones democráticamente.

S CS  CN  N 

¿En qué puedo mejorar? ....

....

Participación ciudadana y vida social pacífica

Con el aprendizaje y la práctica podrás:

- Buscar la paz tratando de mejorar las condiciones de vida en sociedad.
- Aprender que las dificultades se enfrentan entre todos.
- Saber cómo los ciudadanos comunican sus necesidades y demandas a las autoridades.

Platiquemos

Los mexicanos tenemos la capacidad de vivir en sociedad, de trabajar y cooperar para satisfacer las necesidades individuales y sociales que nos aquejan, y de lograr el bienestar que deseamos.

Una condición social básica para asegurar tu bienestar y tu desarrollo es la paz. La paz se entiende como un acuerdo asumido por todos los integrantes de la sociedad para dar solución a cualquier conflicto mediante métodos democráticos, procurando la justicia y combatiendo la desigualdad económica y social.

Hay valores y actitudes propicios para la paz. Ayudan a construir el ambiente de paz del cual todos somos responsables y beneficiarios. La disposición a entender puntos de vista distintos del propio y la voluntad de reconocer que todos tenemos el mismo valor, que somos iguales ante la ley y titulares de derechos, así como la apertura para escuchar y dialogar.

La falta de respeto en cualquiera de sus formas, la agresión, la violencia y la injusticia hacen peligrar la paz.

Es necesario que aprendas a usar tu fuerza vital, tu inteligencia, tus estudios, tu creatividad e incluso tu capacidad de enojarte, para de-

En tiempos de la monarquía, el rey tenía todo el poder. Para afianzar la soberanía del pueblo, la Constitución de 1824 estableció la división de ese poder en tres partes: el Ejecutivo, el Legislativo y el Judicial.

Además de los poderes federales, se instituyeron también los estatales. Desde entonces, en nuestro país el poder no reside en una sola persona.

sarrollar respuestas eficaces ante la necesidad de vivir en paz, con respeto, libertad, seguridad y justicia.

Tu educación, igualmente, te prepara para analizar, evitar y dar solución a los diferentes tipos de problemas que puedan surgir en la vida diaria, ya sea por necesidades compartidas o bien por intereses o puntos de vista opuestos.

Analizar las desavenencias que surjan, y responder de manera conducente a conciliar y actuar para darles solución, es una habilidad necesaria para la vida diaria y la ciudadanía política. Aunque por tu edad todavía no estás en condiciones de ejercerla, ya te estás preparando para hacerlo a su tiempo.

Una manera de dar respuesta a dificultades colectivas o individuales es recurrir a las autoridades competentes, quienes, con base en las leyes y mediante las instituciones apropiadas, deberán darles solución.

Los ciudadanos tienen en la asociación y las acciones colectivas otra forma de dar respuesta a los problemas y conflictos que los afligen. Así, con base en su derecho a asociarse existen agrupaciones que, sin depender del ayuntamiento, del gobierno estatal o

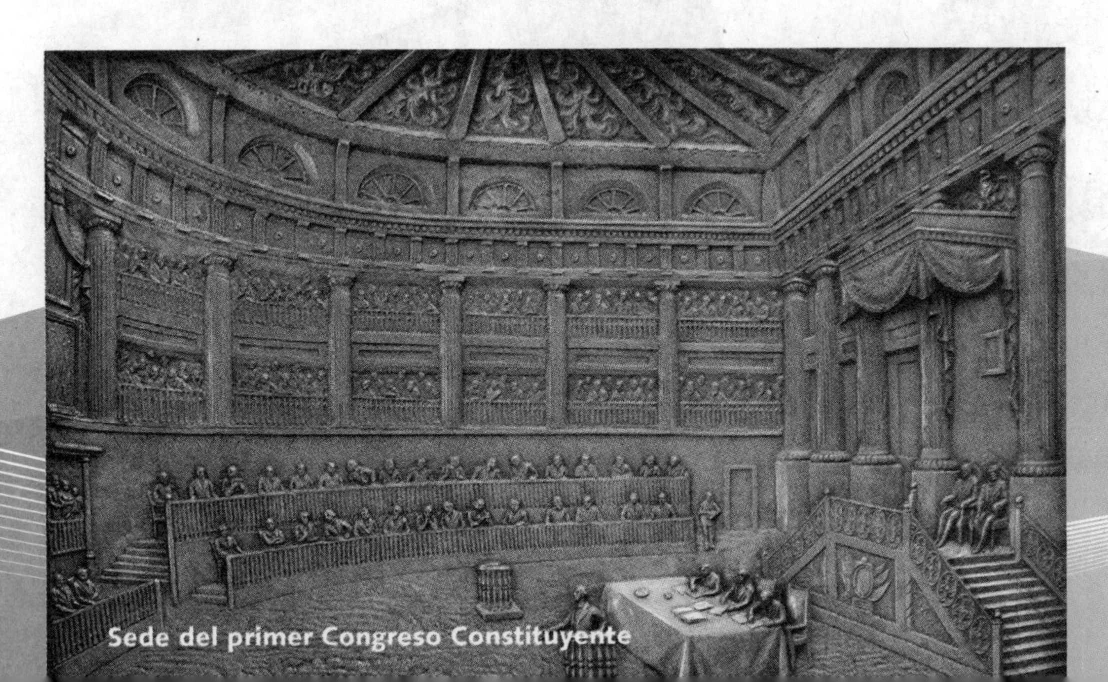

Sede del primer Congreso Constituyente

federal, realizan acciones en beneficio de su localidad. Se les llama asociaciones civiles u organizaciones de la sociedad civil, las cuales son expresión tanto de la democracia como de la solidaridad. En sus acciones, deben apegarse a la legalidad.

Como lo has venido estudiando en años anteriores, la paz y la justicia están íntimamente ligadas. Y sabes que se debe actuar continuamente en favor de la paz y de la justicia porque no son bienes cuya conquista sea permanente, sino que siempre han de cuidarse y fortalecerse.

También el bienestar y la paz están estrechamente relacionados. La paz entre las personas se rompe por falta de equidad, por prejuicios, por discriminación y por el incumplimiento de las leyes; pero actuando con justicia, respeto, solidaridad y apego a la legalidad, se fomenta la paz.

Antigua Cámara de Diputados

Cámara de Diputados actual

Tú ya sabes que es tarea del gobierno promover el bienestar de la población, en especial de los grupos sociales que presentan las mayores carencias. Los integrantes de la sociedad aportan su trabajo. Con base en el dinero recaudado mediante contribuciones o impuestos el gobierno debe efectuar acciones para mejorar constantemente la vida social, económica y cultural del pueblo.

Sin embargo, las acciones dirigidas al desarrollo humano y social se fortalecen con la suma de esfuerzos de la acción gubernamental y de la sociedad, a efecto de construir oportunidades de superación individual y comunitaria que mejoren la calidad de vida de quienes viven en diversas condiciones de marginación, discapacidad, vejez, desamparo, desintegración familiar o discriminación de género.

Suprema Corte de Justicia

Senado de la República

Antigua Suprema Corte de Justicia (primera sede histórica, actualmente Salón de los Espejos en el Palacio Nacional)

En esta tarea, las organizaciones de la sociedad civil desempeñan un papel importante: la ciudadanía activa y comprometida trabaja para prevenir o resolver problemas. Cada ciudadano tiene mucho que aportar a los demás.

Los ciudadanos, individualmente o asociados, tienen el derecho de solicitar información al gobierno acerca de la manera en que sus acciones previenen o concilian diferencias, garantizan los derechos de la población y gastan los recursos públicos. Al informarse y vigilar el desempeño del gobierno, los ciudadanos ejercen su derecho y colaboran con la sociedad para lograr el bienestar colectivo.

Otra forma importante de propiciar la paz es saber ponerse, cada uno, límites para evitar malos tratos y violencia. Las personas y las sociedades deben evitar las agresiones y la violencia, puesto que éstas no resuelven los problemas, sino que los empeoran.

El cumplimiento de acuerdos y la veracidad se relacionan con la paz. Cuando empeñas tu palabra estás obligado a hacer todo lo que esté en tus manos para cumplirla. Por eso reflexiona bien antes de dar tu palabra, y toma en cuenta no sólo tu capacidad de llevar

Palacio Nacional, siglo XVIII

Palacio Nacional, hoy

a cabo lo que prometes, sino también si está bien o no hacer lo que ofreciste.

Si respetas a las personas y las tratas como iguales a ti en dignidad y derechos, estarás actuando conforme al valor democrático de la justicia. Si actúas siempre con honestidad, solidaridad, tolerancia, y buscando cumplir tu palabra, contribuyes a crear mejores condiciones de convivencia y de vida para todos.

Procura que tus actos sean justos y recuerda siempre la verdad que encierran las palabras del Benemérito de las Américas, don Benito Juárez:

Mexicanos: encaminemos ahora todos nuestros esfuerzos a obtener y a consolidar los beneficios de la paz. Bajo sus auspicios, será eficaz la protección de las leyes y las autoridades para los derechos de todos los habitantes de la República. Que el pueblo y el gobierno respeten los derechos de todos. Entre los individuos, como entre las naciones, el respeto al derecho ajeno es la paz.

CONSTITUCION
FEDERAL
SANCIONADA
1824.

Formas de participación ciudadana

La vida en sociedad requiere que todas las personas aporten un esfuerzo al bien común. En México han surgido diferentes formas de participación de los ciudadanos y ciudadanas para enfrentar los problemas que nos aquejan y colaborar en el mejoramiento de la vida de nuestra comunidad. Cuando la ciudadanía trabaja en asuntos públicos de manera colectiva y con independencia del gobierno y los partidos políticos, se vale de la participación de la sociedad civil.

Las organizaciones civiles buscan aportar sus ideas y esfuerzo, tiempo, trabajo y recursos para conocer, entender y enfrentar diferentes problemas sociales, como son el deterioro del medio ambiente, la violación a los derechos de las personas, la pobreza y la exclusión social, la calidad de la educación, la falta de servicios de salud, la atención a niños sin padres, abandonados o en situación de calle, la prevención y el tratamiento de adicciones, y muchos otros similares.

Los problemas que acabamos de mencionar son asuntos públicos porque afectan al conjunto de la sociedad. Las asociaciones de la sociedad civil han surgido en nuestro país porque los ciudadanos deciden participar en la vida pública, de una manera crítica y con propuestas, profesionalismo y capacidad de acción

¿Conoces grupos de ciudadanos y ciudadanas que actúen unidos para enfrentar algún problema o asunto público?¿Puedes mencionar algún problema público de tu comunidad que requiera que la ciudadanía participe y actúe para enfrentarlo?

Servicios a la Juventud, A. C.

Función de las autoridades para el bienestar colectivo y la garantía de los derechos

Las autoridades tienen la obligación de proteger nuestra vida, nuestros derechos; de garantizarnos que los lugares a los que vamos sean seguros, y de castigar a las personas que no cumplen la ley. También deben desarrollar programas que nos enseñen a ser ciudadanos responsables, pacíficos y respetuosos de la ley, así como hacer campañas públicas que nos indiquen cómo evitar la violencia y los factores que pueden producirla.

Pero no debemos olvidar que nosotros también tenemos la responsabilidad de cuidar nuestra comunidad y de respetar los derechos de los demás.

México Unido contra la Delincuencia, A. C.

La participación social mediante el trabajo

El trabajo es una actividad humana que mediante el esfuerzo físico o intelectual contribuye a la creación de satisfactores, tales como servicios (agua, transporte, luz), obras (carreteras, calles) o productos que consumimos (alimentos, artículos de aseo).

El trabajo siempre viene acompañado del pago de un salario, acorde con la importancia del mismo y el esfuerzo realizado.

Las dos partes que integran una relación de trabajo son los trabajadores y los empleadores.

En nuestro país, tanto el trabajo como la relación entre trabajadores y empleadores se encuentran protegidos por los artículos 5 y 123 de la Constitución Política de los Estados Unidos Mexicanos y la Ley Federal del Trabajo, que establecen, entre otros:

- Respeto para las libertades y dignidad de los trabajadores.
- Condiciones de trabajo que aseguren la vida, la salud y un nivel económico digno para el trabajador y su familia.
- Igualdad entre los trabajadores, sin discriminación por motivo de raza, sexo, edad, creencia religiosa o política, o por su condición social.

Secretaría del Trabajo y Previsión Social

¿Qué es un conflicto laboral y cómo se resuelve?

Un conflicto laboral se da cuando en la relación entre uno o varios trabajadores y su empleador no se logra un entendimiento sobre temas que importan a unos y a otros; por ejemplo, la falta de pago oportuno del salario o de las prestaciones, la inasistencia al trabajo o la mala conducta de los trabajadores en su centro de trabajo.

Cuando el empleador no cumple con los trabajadores, éstos pueden iniciar una huelga, que es una suspensión de labores y se realiza por medio del sindicato, es decir, la organización de varios trabajadores que pertenecen a una misma empresa.

Una huelga se termina cuando los trabajadores y los empleadores llegan a un acuerdo que beneficie a ambas partes, o por la intervención de las autoridades laborales para ayudarlos a resolver sus dificultades, actuando como árbitro.

Secretaría del Trabajo y Previsión Social

Los niños y el trabajo

De acuerdo con la Constitución Política de los Estados Unidos Mexicanos y la Ley Federal del Trabajo, está prohibido que los menores de 14 años tengan un trabajo, y que los mayores de esta edad y menores de 18 años trabajen en bares, tiendas de bebidas alcohólicas, o en lugares que afecten sus valores morales y su salud.

Por lo anterior, existe explotación infantil laboral cuando los niños y las niñas menores de 14 años realizan cualquier trabajo que afecte su desarrollo personal o que les impida disfrutar de sus derechos.

Secretaría del Trabajo y Previsión Social

Trabajo e industria: participación y colaboración

Muchas veces has oído esta palabra. Industria significa lo que se hace con ingenio, siguiendo las leyes de la física y de la química, con una buena organización de las actividades y los procesos, y en grandes cantidades y volúmenes.

La industria es una actividad que requiere planeación, precisión y calidad. Produce cosas útiles en grandes cantidades y en ella no se puede fallar, pues se afectaría a muchas personas. Imaginemos un foco que no podamos enroscar, una llave que no entre en la cerradura, un exprimidor de limones que se rompa al oprimirlo.

Para la industria necesitamos trabajadores, materias primas y energía, ya sea eléctrica o calorífica, ellas mismas a su vez producto de otro proceso industrial.

La industria es una actividad que, además de producir cosas útiles para todos, exige preparación y capacitación continua para trabajar en ella, y más que otra actividad humana pone en relación toda una cadena de oficios, conocimientos, materias primas y productos.

Los trabajadores de la industria son los obreros, quienes tienen muchas especialidades, y su lugar de trabajo son las fábricas. Los productos de la industria los vemos todos los días a nuestro alrededor.

En México hemos aprendido a hacer prácticamente todos los productos industriales. Tenemos obreros e ingenieros en todas las ramas de la industria. Tenemos también prácticamente todas las materias primas: petróleo y gas natural en abundancia, para la producción de gasolinas, de energía eléctrica, de fertilizantes y de plásticos; minerales, para el acero, los cables, la electrónica y los electrodomésticos; arenas, arcillas y calizas, para el vidrio, la cerámica, el cemento y el concreto; madera, para los muebles; cereales, como el maíz, y verduras y frutas, para los alimentos procesados; algodón y fibras sintéticas, para las telas y la ropa; agua, sol y viento, para la energía hidráulica, solar y eólica. Y mares para la sal, los pescados y los mariscos, que también pueden ser alimentos procesados.

Además de toda esta riqueza, tenemos también el ingenio, la inteligencia y la voluntad para todo lo que habrá que inventar y hacer en el futuro, si fortalecemos nuestra educación.

¿Tienes algún pariente que trabaje en la industria? ¿Sabes qué hace, con qué máquinas y materiales trabaja, qué produce? ¿Te puede invitar a su trabajo?

René Autrique Ruiz

¿Estamos todos incluidos?, ¿participamos todos?

¿Actuamos en la escuela para prevenir la discriminación y darnos todos trato justo e igualitario? Con la orientación de tu maestra o maestro, reflexiona y evalúa con tu grupo cómo se da la convivencia:

- Los niños y las niñas se tratan con respeto; colaboran en el trabajo; respetan a los maestros; pueden proponer temas y aprender lo que les interesa.
- Los maestros y las maestras respetan a todos los niños y las niñas, y no hacen distinciones por razones de sexo, condición socioeconómica, origen étnico, lengua u otra razón.
- Los maestros y las maestras organizan distintas actividades en el salón para que todos participen.
- Las maestras y los maestros impiden burlas, apodos, insultos y golpes entre las niñas y los niños, y favorecen la comprensión y la ayuda entre todos.
- Los maestros y las maestras tratan las diferencias de los alumnos y alumnas como motivo de interés y conocimiento (culturas, lenguas, capacidades, caracteres o personalidades, preferencias, gustos, emociones).
- Las evaluaciones sirven para valorar los avances de los alumnos y alumnas, no para descalificarlos.
- Los maestros y las docentes incluyen a las niñas y los niños en la elaboración de las normas de conducta del salón.

Todos podemos contribuir a mejorar nuestra convivencia escolar.

Consejo Nacional para Prevenir la Discriminación

La transparencia y el acceso a la información gubernamental

Cuando tú estás fuera de una tienda que tiene aparadores transparentes, puedes observar los objetos en venta a través del cristal, ¿no es así?

El gobierno en México ha llevado a cabo acciones para ser como un aparador de cristal transparente con el objeto de que los ciudadanos puedan conocer qué hace, cómo lo hace, para qué lo hace y cuánto gasta en lo que hace. Cuando una persona hace preguntas al gobierno y le pide documentos para conocer la forma en que trabaja, entonces ejerce su derecho de acceso a la información. La Constitución Política de los Estados Unidos Mexicanos te garantiza este derecho, en su artículo sexto, que dice: "toda la información en posesión de cualquier autoridad, entidad, órgano y organismo federal, estatal y municipal es pública".

Instituto Federal de Acceso a la Información

Todos rendimos cuentas

Cada año el presidente de la República rinde cuentas a todos los mexicanos. Nos explica las actividades que realizó durante el año y cuánto costó hacerlas. Así, cumple con la obligación de todo gobernante de informar a la sociedad sobre la forma en que está haciendo su trabajo.

Todos los mexicanos aportamos una cantidad de dinero para cubrir los gastos del país, los impuestos. Los ciudadanos tenemos el derecho y el gobierno la obligación de informarnos de qué manera los utiliza.

Transparencia Mexicana

Cooperativa y "comercio justo"

¿Recuerdas que en el bloque 2 estudiaste acerca de la cooperación? Ahora estudia una forma de participación social llamada cooperativa.

Martha y Jaime son pequeños productores cafetaleros de Oaxaca. Van a la asamblea de su cooperativa para decidir con sus compañeros acerca de la distribución de tareas para la cosecha del año. La venta que hacen los productores organizados a consumidores que pagan precios justos por su café originó un acuerdo. Ellos sellan sus productos con el nombre de "comercio justo".

Cafeticultores y consumidores entienden que cultivar las parcelas a la manera tradicional protege la tierra y las plantas porque no se utilizan productos químicos y se favorece un medio ambiente saludable. También saben que con menos intermediarios hay pago justo por su trabajo, respeto a los derechos laborales y relaciones de justicia.

El acuerdo entre productores y consumidores, conocido como "comercio justo", incluye otros productos mexicanos: miel, textiles, artesanías y libros.

Ocho ideas relevantes sobre la práctica del "comercio justo":

- Conciencia y solidaridad de los consumidores.
- Organización de los productores.
- Remuneración justa al trabajo de los productores.
- Reducción de intermediarios para mejorar el pago a productores.
- Productos muy apreciados que no se dan en cualquier lugar.
- Cuidado del medio ambiente donde se dan esos productos apreciados.
- Compromiso de producir con buena calidad.
- Sello de garantía.

Fundación Ahora, A. C.

Fichero de instituciones

Tú podrás participar en proyectos para el mejoramiento social, económico, y cultural de tu país, así como obtener más información y de mejor calidad, si conoces las instituciones encargadas de diversas tareas y servicios, así como las leyes en que se basan.

Para que tu participación sea eficaz, será útil que elabores un fichero con las instituciones de que vas teniendo noticia. En este libro ya has conocido la labor de algunas. Aumenta esa información: te ayudará a ejercer tu derecho a los servicios que ofrecen, así como tu derecho a obtener información de las labores de las autoridades y las instituciones públicas.

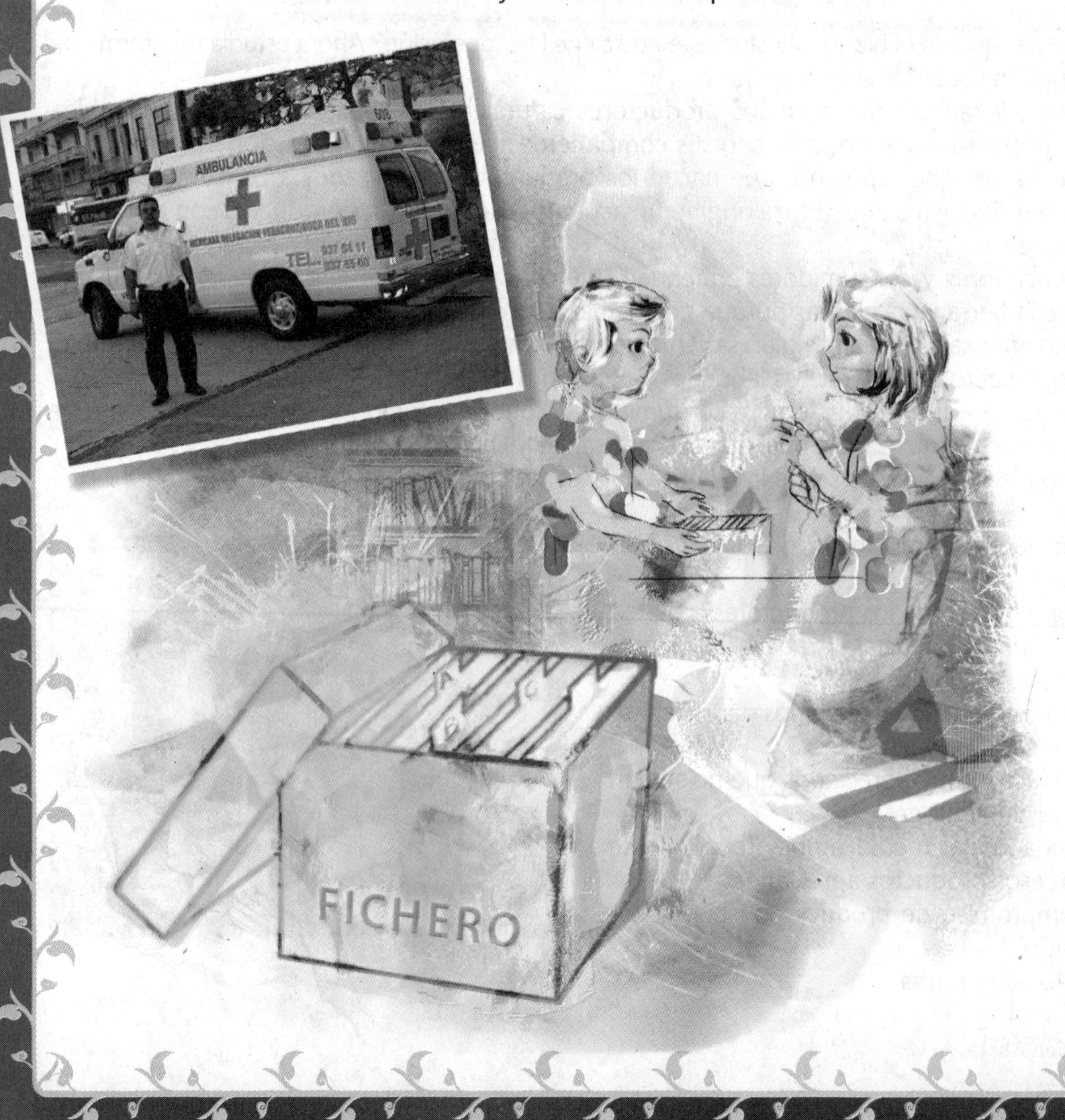

Participación

Un grupo se integra mejor cuando todos participan. En un trabajo en equipo, integrarse y participar significa que todos puedan dar ideas, realizar distintas tareas, utilizar los recursos de que disponga el grupo y aprender.

Tal vez te ha sucedido que no participas porque no te dan la palabra, o has visto niños que no dicen lo que piensan porque otros se burlan o no prestan atención a lo que dicen.

El trabajo en grupo y la vida escolar se enriquecen con tu participación y la de tus compañeros. Impúlsala siempre que puedas.

Tú puedes favorecer el proceso de participación al:

- Cuidar que participen todos activamente, esto es, que reflexionen, se expresen, e intercambien opiniones e ideas.
- Ayudar a que se expresen y participen algunos compañeros tímidos o que se mantienen al margen.
- Ayudar a reunir la información que requiere el grupo para analizar las condiciones y buscar alternativas.
- Cultivar el compañerismo y el buen humor, así la participación será más fácil y agradable para todos.

Revisa el texto "¿Estamos todos incluidos?, ¿participamos todos?" en la sección "Para aprender más". Pregunta a tres maestros y tres alumnos su opinión sobre los aspectos que ahí se tratan y que están en el siguiente cuadro.

Preguntas a compañeros

Las niñas y los niños...	Respuestas Casi siempre 1 punto	 A veces medio punto	 Nunca sin punto
Se tratan con respeto			
Colaboran en el trabajo			
Respetan a los maestros			
Pueden proponer temas y aprender lo que les interesa			

Preguntas a maestros

Las niñas y los niños...	Respuestas Casi siempre 1 punto	 A veces medio punto	 Nunca sin punto
Se tratan con respeto			
Colaboran en el trabajo			
Respetan a los maestros			
Pueden proponer temas y aprender lo que les interesa			

¿Tienen la misma opinión maestros y alumnos? ¿Cómo puede mejorarse la participación en tu escuela? ....

....

De entre las instituciones y asociaciones civiles que escribieron para este libro en la sección "Para aprender más", elige tres de tu interés. Enseguida, investiga y redacta una ficha sobre cada una. Puedes auxiliarte con el texto: "Fichero de instituciones". Aquí hay un modelo.

Fuente de Información:	Nombre de la institución o asociación civil:
....	....
....	Dirección: ....
....	....

Asuntos que atiende:

....

....

....

....

Si tú formaras una asociación civil, ¿qué asunto atenderías?

....

....

....

....

Mis abuelos

Entrevista a tu abûelo o abuela, o a una persona mayor que conozcas.
Nombre ....
Edad ....
¿En qué trabaja o trabajó? ....
¿Qué les gusta de ese trabajo? ....
¿Qué tomó en cuanta para elegir ese trabajo? ....
¿Pertenece a alguna asociación civil? ....

Participa en el mejoramiento de este libro

Busca al final de tu libro la encuesta "¿Qué piensas de tu libro?", y contéstala.
Analiza cuáles son las respuestas más frecuentes de tu grupo a las preguntas 3 y 4.

....
....
....
....

Piensa en maneras de hacer que tu libro te ayude a aprender y a dominar mejor tus competencias cívicas y éticas, y anótalas aquí.

....
....
....
....

Si puedes enviar tus respuestas a la Secretaría de Educación Pública, nos ayudarás a mejorarlo.
Te damos las gracias de antemano, y te deseamos que termines muy bien este grado escolar.

Autoevaluación

Escoge una respuesta y colorea el pez.

Siempre S  Casi siempre CS  Casi nunca CN  Nunca N 

En la escuela, con mis maestros y mis compañeros

Comprendo que la satisfacción de las necesidades de todas las personas es condición necesaria para la paz.

S  CS  CN  N 

Busco información relacionada con temas de mi interés.

S  CS  CN  N 

Promuevo actividades en equipo porque enriquecen el aprendizaje de todos.

S  CS  CN  N 

Valoro la participación social organizada y sus logros.

S  CS  CN  N 

Respeto la dignidad de las personas y no las ofendo.

S  CS  CN  N 

En mi casa, en la calle y otros lugares

Participo en las tareas de casa.

S  CS  CN  N 

Mi participación en casa favorece un ambiente cordial.

S  CS  CN  N 

Respeto a los integrantes de mi familia.

S  CS  CN  N 

Participo en acciones que mejoran las condiciones de mi localidad.

S  CS  CN  N 

Analizo los problemas que se me presentan para encontrarles solución o prevenirlos.

S CS  CN  N 

Me dirijo de manera respetuosa a mis padres, hermanos y amigos.

S CS  CN  N 

¿En qué puedo mejorar? ....

....

Coro
Mexicanos, al grito de guerra
El acero aprestad y el bridón,
Y retiemble en sus centros la tierra
Al sonoro rugir del cañón.

I
Ciña, ¡oh patria!, tus sienes de oliva
De la paz el arcángel divino,
Que en el cielo tu eterno destino
Por el dedo de Dios se escribió.

Mas si osare un extraño enemigo
Profanar con su planta tu suelo,
Piensa, ¡oh patria querida!, que el cielo
Un soldado en cada hijo te dio.

[Coro]

II
¡Guerra, guerra sin tregua al que intente
De la patria manchar los blasones!
¡Guerra, guerra! Los patrios pendones
En las olas de sangre empapad.

¡Guerra, guerra! En el monte, en el valle
Los cañones horrísonos truenen,
Y los ecos sonoros resuenen
Con las voces de ¡Unión! ¡Libertad!

[Coro]

III
Antes, patria, que inermes tus hijos
Bajo el yugo su cuello dobleguen,
Tus campiñas con sangre se rieguen,
Sobre sangre se estampe su pie.

Y tus templos, palacios y torres
Se derrumben con hórrido estruendo,
Y sus ruinas existan diciendo:
De mil héroes la patria aquí fue.

[Coro]

IV
¡Patria! ¡Patria! Tus hijos te juran
Exhalar en tus aras su aliento,
Si el clarín con su bélico acento
Los convoca a lidiar con valor.

¡Para ti las guirnaldas de oliva!
¡Un recuerdo para ellos de gloria!
¡Un laurel para ti de victoria!
¡Un sepulcro para ellos de honor!

Coro
Mexicanos, al grito de guerra
El acero aprestad y el bridón,
Y retiemble en sus centros la Tierra
Al sonoro rugir del cañón.

Letra: **Francisco González Bocanegra**
Música: **Jaime Nunó**

Créditos iconográficos

P. 10, (izq.) réplica de la campana de Dolores Hidalgo en el Palacio de Gobierno de San Luis Potosí, fot. Baruch Loredo Santos; (der.) iglesia de Dolores Hidalgo, Guanajuato, fot. Baruch Loredo Santos. **P. 11,** maqueta de la tertulia, fot. Rita Robles Valencia, Museo Nacional de Historia, Conaculta-INAH-MEX*. **P. 12,** (izq.) *Ignacio López Rayón*, litografía, Museo Regional de Guadalajara, Conaculta-INAH-MEX*; (der.) *La promulgación de la Constitución de 1812*, de Salvador Viniegra (1862-1915), Museo de las Cortes de Cádiz. **P. 13,** *Sentimientos de la Nación* (detalle), Archivo General de la Nación. **P. 14,** (izq.) *La abispa de Chilpancingo*, fot. Ernesto Peñaloza, fondo reservado de la Biblioteca Nacional-UNAM; (ab.) *Firma de la Constitución de Apatzingán*, óleo, Conaculta-INAH-MEX*. **P. 15,** (izq.) *Solemne y pacífica entrada del Ejército de las Tres Garantías a la Ciudad de México el 27 de septiembre de 1821*, anónimo, 1822, óleo sobre tela, 82 x 125 cm, Museo Nacional de Historia, Conaculta-INAH-MEX*; (centro) bandera del Imperio de Agustín de Iturbide, Secretaría de Gobernación; (der.) *Guadalupe Victoria*, del pintor Moscoso, óleo, siglo XIX, Museo Nacional de Historia, Conaculta-INAH-MEX*. **P. 16,** fot. Paola Stephens Díaz. **P. 17,** Comunicación social SEP. **P. 18,** (izq.) primaria Luis de la Breña, San Miguel Xicalco, fot. Heriberto Rodríguez, Coordinación General de Educación Intercultural y Bilingüe; (der.) fot. Juan Antonio García Trejo. **P. 19,** *La fiesta*, de Román Andrade Laguno, gouache sobre amate, fot. David Maawad, Galería Arte de Oaxaca. **P. 22,** Comunidad Down A.C., fot. Raúl Barajas. **P. 30,** *Escuela lancasteriana en "semicírculo"*, de Alberto Sánchez Cervantes, en *La educación ilustrada 1786-1836*. **P. 31,** (izq.) *El Periquillo Sarniento*, lám. 8, t. 2, p. 14; (centro) *El Periquillo Sarniento*. lám. 2, t. 2, p. 62; (der.) *José Joaquín Fernández de Lizardi*, estampa popular, siglo XIX. **P. 32,** (izq.) *El Periquillo Sarniento*. lám. 9, t. 2, p. 227; (der.) *El Periquillo Sarniento*. lám. 6, t. 2, p. 137. **P. 33-35,** *La educación de las mujeres o La Quijotita y su prima*, reprografía Jordi Farré. **P. 36-37,** primaria Luis de la Breña, San Miguel Xicalco, foto Heriberto Rodríguez, Coordinación General de Educación Intercultural y Bilingüe. **P. 38,** votaciones en Villahermosa, Tabasco, 5 de julio de 2009, ©Latinstock. **P. 39,** maqueta de la Batalla del Castillo de Chapultepec, fot. Rita Robles Valencia, Museo Nacional de Historia, Conaculta-INAH-MEX*; *Agustín Melgar, Francisco Márquez, Vicente Suárez, Juan Escutia, Fernando Montes de Oca y Juan de la Barrera*, Museo Nacional de Historia, Conaculta-INAH-MEX*. **P. 40,** (arr.) fot. Baruch Loredo Santos; (ab.) fot. Juan Antonio García Trejo. **P. 54,** Sala de monolitos del Museo Nacional, interior, Antiguo Museo Nacional, ca. 1910, fot. Teoberto Maler, © 351618 CND. SINAFO-Fototeca Nacional del INAH. **P. 55,** (izq.) Sala de arqueología del Antiguo Museo Nacional, ca. 1910, © 420630 CND. SINAFO-Fototeca Nacional del INAH; (der.) Coatlicue expuesta en el Museo Nacional, ca. 1915, © 121110 CND. SINAFO-Fototeca Nacional del INAH. **P. 56,** (izq.) cabeza olmeca, Museo la Venta, Villahermosa, Tabasco, *México Desconocido*, Conaculta-INAH-MEX*; (centro) Museo Nacional del Virreinato, fot. José Guadalupe Martínez, Conaculta-INAH-MEX*; (der.) Museo Casa de Morelos, fot. Marco Antonio Pacheco, Conaculta-INAH-MEX*. **P. 57,** (izq.) Museo del Desierto, Coahuila, *México Desconocido*; (centro) Casa Museo Francisco Villa, Chihuahua, *México Desconocido*; (der.) Museo del Horno 3, Nuevo León, fot. Roberto Ortiz. **P. 58,** (izq.) Desierto de los Leones, fot. Marco Antonio Pacheco; (centro) Reserva de la Biosfera Sian ka´an, Quintana Roo, fot. Guillermo Aldana; (der.) valle de Cuatro Ciénagas, Coahuila, Instituto de Ecología- UNAM. **P. 59,** (centro) Parque Nacional el Chico, Hidalgo, *México Desconocido*, (der.) Cañón del Sumidero, fot. Moisés Fierro. **P. 60,** (arr.) *Doña Josefa Ortíz de Domínguez*, Biblioteca de Arte Ricardo Pérez Escamilla; (ab. izq.) *Sor Juana Inés de la Cruz*, de Miguel Cabrera, Inali, Museo Nacional de Historia, Conaculta-INAH-MEX*; (ab. der.) *José María Morelos y Pavón*, anónimo, 1822, Museo Nacional de Historia, Conaculta-INAH-MEX*. **P. 61,** (arr.) *Ignacio Allende*, estampa popular, siglo XIX; (centro) *Vicente Guerrero*, de Miranda, litografía, 24.7 x 32.1 cm, en Vicente Riva Palacio, *El libro rojo*, lámina 29. **P. 63,** (arr. izq.) *Adivinanzas mayas y yucatecas*, Libros del Rincón; (arr. der.) Cruz Ortíz, Alejandra, *El origen del mundo y de los hombres*, Libros del Rincón; (centro) López Chiñas, Jeremías, *Conejo y Coyote*, Elisa Ramírez Castañeda (adaptación), Conafe, México: 2001; (ab.) Briseño Chel, Fidencio, *Voces de colores. Adivinanzas maya-tsotsil*, Inali, México: 2006. **P. 64-65,** *La biodiversidad de México*, de Magdalena Juárez y L. G. Rodríguez, Semarnat-Conabio (Comisión Nacional para el Conocimiento y Uso de la Biodiversidad). **P. 66 y 71,** grabado en amate, fot. Jordi Farré. **P. 78-83,** ilustraciones de Marco Antonio Pineda, Conabio. **P. 84,** Congreso de Aguascalientes, ©CND. SINAFO-Fototeca Nacional del INAH; *Constitución de 1917*, Archivo General de la Nación; Venustiano Carranza, © CND. SINAFO-Fototeca Nacional del INAH. **P. 85-93,** *México: su historia, su riqueza y su futuro*, de Fermín Revueltas (1901-1935), vitral, fot. Baruch Loredo Santos, Centro Escolar Revolución, Ciudad de México. **P. 96,** (ab. der.) senadores en sesión, Senado de la República; (ab. izq.) plenaria, D.R. © Cámara de Diputados. **P. 104,** *Alegoría*, en *México a través de los siglos*, reprografía Baruch Loredo Santos. **P. 105,** *Sede del primer Congreso Constituyente de 1857*, relieve, fot. Jordi Farré, Palacio Nacional. **P. 106,** (izq.) Antigua Cámara de Diputados, © CND. SINAFO-Fototeca Nacional del INAH; (der.) Cámara de Diputados actual, Cámara de Diputados. **P. 107,** (izq.) Senado de la República, fot. Rita Robles Valencia; (centro) Salón de Escudos, Palacio Nacional, Suprema Corte de Justicia Nacional; (der.) fachada de Suprema Corte de Justicia Nacional, Suprema Corte de Justicia Nacional. **P. 108,** (izq.) *Vista del Palacio Nacional de México reedificado en los primeros años del siglo XVIII*, litografía, en Manuel Rivera Cambas (1840-1917), *México pintoresco artístico y monumental: vistas, descripciones, anécdotas y episodios de los lugares más notables de la capital y de los estados*, Biblioteca de Arte Ricardo Pérez Escamilla; (centro) *Vista Interior del Palacio Nacional de Méjico. Ocupado por los federalistas*, anónimo, litografía, 22 x 31 cm; (der.) interior de Palacio Nacional, fot. Baruch Loredo Santos. **P. 109,** (arr.) *Constitución Federal de 1824*, sancionada, Archivo General de la Nación; (centro) *Alegoría de la Independencia*, fot. Baruch Loredo Santos, Palacio Nacional; (ab.) fot. Baruch Loredo Santos. **P. 110,** marcha por la paz, 27 de julio de 2004, fot. Heriberto Rodríguez. **P. 111,** (arr.) trabajador en construcción, fot. Heriberto Rodríguez; (centro) comercio, ©Latinstock; profesora Ana María López, ©Latinstock; campesinos ©Latinstock; (ab.-der.) operadora financiera, ©Latinstock; (ab. izq.) diseñador de zapatos, ©Latinstock. **P. 112,** fot. Heriberto Rodríguez. **P. 113,** pailería San Luis, Monterrey Nuevo León, fot. Ángel Peña. **P. 114,** fot. Paola Stephens. **P. 115,** fot. Fernando Rebelo **P. 116,** ambulancia, archivo iconográfico DGME-SEP. **P. 122,** *Alegoría*, en *México a través de los siglos*.

Formación Cívica y Ética. Cuarto grado
se imprimió por encargo de la
Comisión Nacional de Libros de Texto Gratuitos,
en los talleres de Litografía Magno Graf, S.A. de C.V.,
con domicilio en Calle E No. 6,
Parque Industrial Puebla 2000,
C.P. 72220, Puebla, Pue.,
en el mes de febrero de 2011,
el tiraje fue de 3´132,050 ejemplares.

Impreso en papel reciclado

¿Qué piensas de tu libro?

Tu opinión es muy importante para nosotros. Te invitamos a que nos digas lo que piensas de tu libro de Formación Cívica y Ética, cuarto grado. Lee las preguntas y elige la respuesta que mejor exprese tus ideas.

FORMACIÓN CÍVICA Y ÉTICA 4

	Sí	No
1. ¿Qué secciones te gustan de tu libro?		
Platiquemos	☐	☐
Para aprender más	☐	☐
Para hacer	☐	☐
Ejercicios	☐	☐
Imágenes	☐	☐
Autoevaluación	☐	☐

	Siempre	Casi Siempre	A veces	Nunca
2. ¿Los textos te sirvieron para conocer y reflexionar acerca de los valores éticos y cívicos?	☐	☐	☐	☐
3. ¿Las imágenes te permitieron obtener información adicional y nuevas ideas?	☐	☐	☐	☐
4. ¿Te resultó difícil comprender la información de los textos?	☐	☐	☐	☐

	Interesantes	Poco interesantes	Nada interesantes
5. ¿Cómo consideras los temas tratados en estos apartados?			
Lecturas	☐	☐	☐
Ejercicios	☐	☐	☐
Imágenes	☐	☐	☐

6. ¿Qué lograste aprender con tus lecturas, actividades e imágenes?

____

____

7. Si fueras el autor o la autora del libro, ¿qué le agregarías?

____

8. Si fueras el autor o la autora del libro, ¿qué le quitarías?

____

Gracias por tus respuestas.

Dirección General de Materiales Educativos
Dirección General de Desarrollo Curricular
Viaducto Río de la Piedad 507,
Granjas México, 8400, Iztacalco, México, D.F.

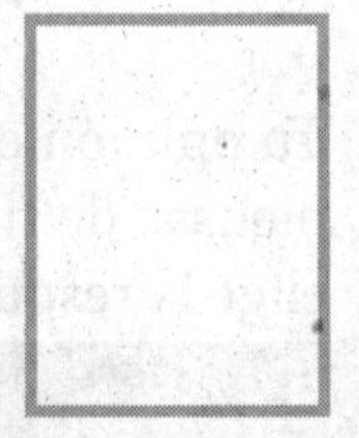

Dobla aquí

Si deseas recibir una respuesta, anota tus datos.

Nombre: ____________________

Domicilio: ________ ________ ________

Calle | Número | Colonia

________ ________ ________

Entidad | Municipio o Delegación | C.P.

Dobla aquí

Pega aquí